Themen 1

Lehrwerk für
Deutsch als Fremdsprache
Arbeitsbuch Ausland

von Karl-Heinz Eisfeld, Hanni Holthaus,
Uthild Schütze-Nöhmke, Heiko Bock

Projektbegleitung: Hans-Eberhard Piepho

Hueber

Beratende Mitwirkung: Dagmar Paleit · Rottenburg;
Heidelies Müller · Buseck-Trohe
Verlagsredaktion: Heiko Bock · München
Illustrationen: Joachim Schuster · Baldham; Ruth Kreuzer · Mainz
Umschlagillustration: Dieter Bonhorst · München
Layout: Erwin Faltermeier · München
Fotos: vgl. Quellennachweis

CIP-Kurztitelaufnahme der Deutschen Bibliothek

Themen: Lehrwerk für Dt. als Fremdsprache. –
München [i.e. Ismaning] : Hueber
1.
Arbeitsbuch Ausland. Von Karl-Heinz Eisfeld . . .
1. Aufl. – 1983.
ISBN 3-19-021371-2
NE: Eisfeld, Karl-Heinz [Mitverf.]

1. Auflage

6. | Die letzten Ziffern
1991 90 89 88 | bezeichnen Zahl und Jahr des Druckes.
Alle Drucke dieser Auflage können, da unverändert,
nebeneinander benutzt werden.
© 1983 Max Hueber Verlag · München
Gesamtherstellung: Druckerei Auer · Donauwörth
Printed in Germany
ISBN 3-19-021371-2

Inhalt

Vorwort

Das Arbeitsbuch zu „Themen" ist nicht einfach eine Sammlung von Übungen zur Ergänzung des Kursbuches, sondern es verfolgt eine andere Konzeption.

1. Während im Kursbuch *Sprache in kommunikativen Text- und Interaktionszusammenhängen* vermittelt wird, werden im Arbeitsbuch die *zentralen Redemittel* jeder Lektion *einzeln herausgehoben* und ihre Bildung und ihr Gebrauch geübt.

2. Der „Grundbaustein" und das „Zertifikat Deutsch als Fremdsprache" sind Ziel des Kursbuches und insofern für *alle* Lerner im In- und Ausland, die dieses Ziel erreichen wollen, verbindlich. Andererseits haben aber Lerner im In- und Ausland verschiedene Interessen. Das betrifft vor allem die Inhalte der Lesetexte. Deshalb gibt es *zwei Ausgaben* für das Arbeitsbuch: eine für das *Inland* und eine für das *Ausland*. Sie sind identisch, was den Übungsteil betrifft, sie unterscheiden sich aber hinsichtlich der Lesetexte, die in einem Magazinteil am Ende jeder Lektion zu finden sind und die die verschiedenen Interessen der Lerner im In- und Ausland berücksichtigen.

Der Einsatz des Arbeitsbuches ist im Lehrerhandbuch genau beschrieben. Hier werden deswegen nur die fünf wichtigsten Punkte für die Verwendung des Arbeitsbuches aufgeführt.

1. Entsprechend der kommunikativen Zielsetzung von „Themen", nicht bloß die Grammatik, sondern auch die Bedeutung und Handlungsfunktionen von Sprache zu vermitteln, werden die Übungen systematisch unterschieden nach:

   – Wortschatzübungen (WS) – Grammatikübungen (GR) – Bedeutungsübungen (BD). Außerdem gibt es spezielle
   – Übungen zum schriftlichen Ausdruck (SA).

2. Um die Art der Übung und die Zuordnung zu den B-Schritten im Kursbuch schnell erkennen zu können, ist jede Übung gekennzeichnet durch den (die) B-Schritt(e), zu der (denen) sie gehört(en) und durch die Angabe, ob es sich um eine Wortschatz-, Grammatik-, oder Bedeutungsübung oder um eine Übung zum schriftlichen Ausdruck handelt.

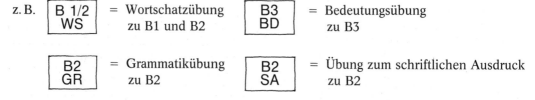

z. B.   B 1/2 WS = Wortschatzübung zu B1 und B2   B3 BD = Bedeutungsübung zu B3

   B2 GR = Grammatikübung zu B2   B2 SA = Übung zum schriftlichen Ausdruck zu B2

3. Zu fast allen Übungen gibt es im Anhang einen Schlüssel. Die Lerner können also die Übungen selbständig durchführen und sich selbst korrigieren. Zusammen mit dem Kursbuch, einem Glossar und dem Arbeitsbuch können sie versäumte Stunden zu Hause nachholen. Selbstverständlich sollte der Lehrer jederzeit für Erläuterungen zur Verfügung stehen.

4. Die Arbeitsbuchübungen sollten im Kurs vor allem nach Erklärungsphasen und in Stillarbeitsphasen eingesetzt werden.

5. Das Arbeitsbuch ist nicht als Schreibbuch gedacht. Die Lücken und Zeilen zum Hineinschreiben sollen nur den technischen Ablauf der Übungen verdeutlichen, für die eigenes Schreibpapier benötigt wird.

Verfasser und Verlag

1. Ergänzen Sie.

a) Guten Tag.

Guten _M_____   Guten _T_____   Guten _A_____

b) Wie geht's?

2. Wie heißt das Land?

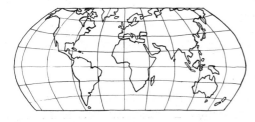

Al – Ar – bi – chen – da – di – Dj – do –
en – en – en – en – en – Finn – Frank –
ge – ge – gen – Grie – ka – In – Ka – Ke
– kei – Ko – land – land – lum – na – ne
– Ni – ni – nia – pan – reich – ri – ria –
si – ti – Tür

Hauptstadt	Land
Djakarta	*Indonesien*
Bogota	
Buenos Aires	
Algier	
Helsinki	
Ankara	
Athen	
Paris	
Ottawa	
Nairobi	
Lagos	
Tokio	
Neu Dehli	

Lektion 1

B1/2
WS

3. Ergänzen Sie.

a) ○ Guten Tag, mein Name _ist_ Becker.
   □ Guten Tag, ich _____ Wagner.

b) ○ Entschuldigung, sind Sie Herr Meier?
   □ Nein, mein Name _____ Becker.

c) ○ Ich heiße Juan Martinez.
   □ Wie bitte? Wie _____ Sie?
   ○ Juan Martinez.
   □ Ich _____ nicht.
   _____ Sie bitte!
   ○ M-A-R-T-I-N-E-Z.

d) ○ Wie _____ Ihr Name?
   □ Ronald Brooke.
   ○ _____ Sie aus Kanada?
   □ Nein, _____ Großbritannien.

4. Ergänzen Sie.

a) Luisa > _heißen,_

b) Herr Braun >

c) aus Peru >

d) Klaus Berg >

e) aus Italien >

f) Knapp >

B1/2
GR

5. Ergänzen Sie.

-e -en sind
bin ist
-t

a) ○ Entschuldigung, wie heiß _en_ Sie?
   □ Ich _bin_ Luisa.
   ○ Wie bitte?
   □ Mein Name _____ Luisa Tendera.
   Und wer _____ Sie?
   ○ Ich _____ Lucienne Destrée.
   Ich komm _____ aus Frankreich. Und Sie?
   □ Ich komm _____ aus Italien.
   ○ Und wer _____ das?
   □ Das _____ Frau und Herr Balius.
   ○ Woher komm _____ sie?
   □ Sie komm _____ aus Peru.

6

b) O   Entschuldigung, _____ das Herr Stevens?

    □   Nein, das _____ Peter Miller.

                Er komm _____ aus USA.

    O   Komm _____ er aus New York?

    □   Nein, er _____ aus Boston.

       Und woher komm _____ Sie?

    O   Ich komm _____ aus Marokko.

6. Ihre Grammatik: Ergänzen Sie.

B1/2 GR

	ich	du	Sie	er (Peter)/sie (Luisa)	sie (Peter und Luisa)
kommen	komme	kommst	kommen	kommt	kommen
heißen	heiße	heißt	heißen	heißt	heißen
sein	bin	bist	sind	ist	sind

7. Bilden Sie Sätze.

B1/2 GR

a) [aus Peru > kommen] (Sie) *Kommen Sie aus Peru?*

    [aus Kuba > kommen] (ich) *Nein, ich komme aus Kuba.*

b) [Woher? > kommen] (er) _____?

    [aus Italien > kommen] (Er) _____

c) [Wie? > heißen] (sie) _____?

    [Tendera > heißen] (sie) _____

d) [Jimenez > heißen] (Sie) _____?

    [El Tahir > heißen] (ich) *Nein,* _____

Ihre Grammatik: Ergänzen Sie.

	Inversions-signal	Subjekt	Verb	Subjekt	Angabe	obligatorische Ergänzung
a)			Kommen	Sie		aus Peru?
		Ich	komme			aus Kuba.
b)						
c)						
d)						

Lektion 1

B1/2
GR

8. Fragen Sie.

a) _Wie_ heißen Sie?   Camego.

b) _____ er aus Peru?   Nein.

c) _____ kommen Sie?   Aus Spanien.

d) _____ ist das?   Das ist Mona.

e) _____ sind Sie?   Mario Rossi.

f) _____ kommen Sie?   Aus Italien.

g) _____ heißen Sie?   Kaiser.

h) _____ das Jürgen?   Nein.

B1/2
BD

9. Was paßt zusammen?

A	Das ist Herr Camego.
B	Er kommt aus Mexiko.
C	Das ist Fräulein Young.
D	Sie heißt Lucienne.
E	Sie kommt aus Paris.
F	Er heißt Peter Miller.

1	Woher kommt sie?
2	Wer ist das?
3	Wie heißt er?
4	Woher kommt er?
5	Wie heißt sie?

a	Aus Paris.
b	Aus Mexiko.
c	Herr Camego.
d	Fräulein Young.
e	Peter Miller.
f	Lucienne.

A	2c, 4a, 4b
B	
C	
D	
E	
F	

B1/2
BD

10. Welche Antwort paßt?

a) *Heißt er Becker?*
- Ⓐ Nein, er heißt Wagner.
- Ⓑ Nein, Becker.
- Ⓒ Ja, er heißt Wagner.

b) *Woher kommen Sie?*
- Ⓐ Er kommt aus Polen.
- Ⓑ Ich komme aus Dänemark.
- Ⓒ Sie kommen aus Indien.

c) *Wie heißen sie?*
- Ⓐ Sie heißt Luisa.
- Ⓑ Nein, sie heißen Luisa und Yasmin.
- Ⓒ Sie heißen Luisa und Yasmin.

d) *Wie heißen Sie?*
- Ⓐ Ich heiße Hansen.
- Ⓑ Er heißt Camego.
- Ⓒ Sie heißt Tendera.

e) *Woher kommt sie?*
- Ⓐ Sie ist aus Ägypten.
- Ⓑ Er kommt aus Spanien.
- Ⓒ Sie sind aus Irland.

f) *Kommt sie aus Marokko?*
- Ⓐ Ja, sie ist aus Marokko.
- Ⓑ Nein, sie kommen aus Marokko.
- Ⓒ Sie sind aus Marokko.

B1/2
BD

11. Was können Sie auch sagen?

a) *Woher kommt sie?*
- Ⓐ Woher kommen Sie?
- Ⓑ Woher ist sie?
- Ⓒ Woher sind Sie?

b) *Ich heiße Ergök.*
- Ⓐ Ich komme aus Izmir.
- Ⓑ Ich bin aus der Türkei.
- Ⓒ Mein Name ist Ergök.

c) *Kommt er aus England?*
- Ⓐ Er kommt aus England.
- Ⓑ Woher kommt er?
- Ⓒ Ist er aus England?

d) *Kommen Sie aus Kairo?*
- Ⓐ Sind Sie aus Kairo?
- Ⓑ Woher kommen Sie?
- Ⓒ Kommt sie aus Kairo?

e) *Wer ist aus Köln?*
- Ⓐ Wer kommt aus Köln?
- Ⓑ Kommt er aus Köln?
- Ⓒ Woher kommt er?

f) *Heißt sie Anne Sommer?*
- Ⓐ Ist das Anne Sommer?
- Ⓑ Wie heißt sie?
- Ⓒ Wer ist Anne Sommer?

12. Wer ist das? Schreiben Sie.

B1/2
SA

a) b)

c) d) e) f)

Max Frisch (CH)   Siegmund und Anna Freud (A)   Herbert v. Karajan (A)   Romy Schneider (D)   Günter Grass (D)
Anna Seghers (DDR)

a) *Das ist Max Frisch. Er kommt aus der Schweiz.*   d) _____

b) _____   e) _____

c) _____   f) _____

13. Schreiben Sie fünf Dialoge.

B1/2
BD

> Woher kommen Sie?   Ich bin Lopez Martinez Camego.   Aus Paris. Und Sie?
>
> Entschuldigung, heißen Sie Knapp?   Guten Tag, Frau Sommer. Wie geht es Ihnen?
>
> Wie bitte? Wie heißen Sie?   Lopez Martinez Camego.   Danke, es geht.
>
> Ja, das ist er.   Nein, mein Name ist Kraus.   ~~Entschuldigung, ist das Herr Baum?~~
>
> Aus Genua.

a) ○ *Entschuldigung, ist das Herr Baum?*   d) ○ _____
   □ _____   □ _____

b) ○ _____   ○ _____
   □ _____   e) ○ _____

c) ○ _____   □ _____
   □ _____   ○ _____

Lektion 1

14. Schreiben Sie Dialoge.

a)

○ Salt	◁ ☐ Faivre
○ Woher?	☐ Frankreich Und Sie?
○ England	

○ <u>Guten Tag. Mein Name ist Salt.</u>
☐ <u>Guten Tag. Ich heiße Faivre.</u>
○ <u>Woher</u> _____ ?
☐ <u>Aus</u> _____ . <u>Und Sie?</u>
○ _____

Ebenso:

b)

○ El Tahir	☐ Tendera
○ Spanien?	☐ Nein, Italien Und Sie?
○ Tunesien	

c)

○ Jimenez	☐ Young
○ Japan?	☐ Nein, Korea aus Spanien?
○ Nein, Peru	

15. Schreiben Sie.

a) <u>siebenundvierzig</u> _____ DM 47,–
b) _____ DM 88,–
c) _____ DM 31,–
d) _____ DM 19,–
e) _____ DM 33,–
f) _____ DM 52,–
g) _____ DM 13,–

h) _____ DM 21,–
i) _____ DM 55,–
j) _____ DM 93,–
k) _____ DM 24,–
l) _____ DM 66,–
m) _____ DM 17,–
n) _____ DM 95,–

Who is Who?

DAS IST ERWIN

DAS IST ANNA

DAS IST GEORG

WIE BITTE?

RICHTIG, DAS IST GEORG

DAS IST WERNER

Lektion 2

B1
WS

1. Welches Wort paßt nicht?

a) 35 Jahre – 2 Stunden – 10 Tage – ~~5 Kinder~~

b) Lehrerin – Siemens – Mechaniker – Bäuerin

c) Wien – Dresden – Österreich – Stuttgart

d) Monika – Köln – Manfred – Klaus

e) Monat – Telefonistin – Schausteller – Schlosser

f) Reichel – Ergök – Henkel – Kauffrau

g) Türkei – Schweiz – Österreich – Mannheim

h) Krankenschwester – Verkäuferin – Levent – Elektrotechniker

B1
GR

2. Ein Wort paßt nicht.

a) Ich bin ~~ich~~ Lehrerin.

b) Wie er heißt Rodriguez.

c) Was ist er von Beruf Mechaniker?

d) Bülent ist er Automechaniker.

e) Woher kommt er aus?

f) Er ist er verheiratet?

g) Das ist das Klaus Henkel.

h) Herr Ergök kommt er aus der Türkei.

B1
GR

3. ,Wer', ,Was', ,Woher', ,Wie', ,Wo'? Fragen Sie.

a) <u>Herr Becker</u> ist Kaufmann.   *Wer ist Kaufmann?*

b) <u>Lore Sommer</u> wohnt <u>in Hamburg</u>.   _____

c) Klaus Henkel ist <u>Chemiker</u>.   _____

d) Levent Ergök kommt <u>aus der Türkei</u>.   _____

e) <u>Hildegard Reichel</u> ist Ingenieurin.   _____

f) Frau Reichel arbeitet <u>in Dresden</u>.   _____

g) Er heißt <u>Peter Maria Glück</u>.   _____

B1
GR

4. Fragen Sie.

a) *Was ist er von Beruf?*   – Er ist Programmierer von Beruf.

b) _____   – Nein, sie heißt Maria Groß.

c) _____   – Mein Name ist Schäfer.

d) _____   – Ich bin Kaufmann.

e) _____   – Sie ist Telefonistin.

f) _____   – Nein, sie arbeitet in Zimmer 6.

g) _____   – Nein, er ist in Zimmer 1.

h) _____   – Ja, ich arbeite in Zimmer 3.

B1
GR

5. Ihre Grammatik: Ergänzen Sie.

a) Sind Sie hier neu?

b) Ich arbeite hier schon vier Monate.

c) Was machen Sie hier?

d) Ich verstehe nicht.

e) Ich bin Kaufmann von Beruf.

f) Sie ist erst 38 Jahre alt.

g) Ist er verheiratet?

h) Dieter arbeitet nicht in Köln.

	Inversions-signal	Subjekt	Verb	Subjekt	Angabe	obligatorische Ergänzung	Verb
a			*Sind*	*Sie*	*hier*	*neu ?*	
b							
c							
d							
e							
f							
g							
h							

✗ 6. ‚Erst' oder ‚schon'?

a) Paul Schäfer ist *schon* 52 Jahre alt, Margot Schulz _____ 28.

b) Jochen Pelz arbeitet _____ 3 Monate bei Müller & Co, Anton Becker _____ 4 Jahre.

c) Monika Sager wohnt _____ 6 Monate in Berlin, Manfred Bode _____ 5 Jahre.

d) Wartest du hier _____ lange? Nein, _____ 10 Minuten.

e) Hildegard Reichel ist _____ 10 Jahre verheiratet, Lore Sommer _____ 3 Jahre.

f) Heiner lernt _____ 2 Jahre Spanisch, Dagmar _____ 5 Monate.

g) Sind Sie _____ lange in der Bundesrepublik Deutschland? Nein, _____ 2 Monate.

B1
BD

7. Welche Antwort paßt?

a) *Sind Sie hier neu?*
   - Ⓐ Nein, ich bin hier neu.
   - Ⓑ Ja, ich bin schon zwei Monate hier.
   - Ⓒ Nein, ich bin schon vier Jahre hier.

b) *Was sind Sie von Beruf?*
   - Ⓐ Sie ist Telefonistin.
   - Ⓑ Ich bin erst drei Tage hier.
   - Ⓒ Ich bin Chemiker.

c) *Was macht Frau Beier?*
   - Ⓐ Sie ist Mechanikerin.
   - Ⓑ Er ist Ingenieur.
   - Ⓒ Er arbeitet hier schon fünf Monate.

d) *Arbeitet sie schon sechs Monate hier?*
   - Ⓐ Ja, ich bin hier erst drei Tage.
   - Ⓑ Nein, sie ist hier neu.
   - Ⓒ Ja, ich arbeite hier.

e) *Ist hier noch frei?*
   - Ⓐ Wie heißen Sie?
   - Ⓑ Ja, bitte.
   - Ⓒ Nein, danke.

f) *Sind Sie Kaufmann?*
   - Ⓐ Nein, Mechaniker.
   - Ⓑ Natürlich, bitte.
   - Ⓒ Ja, bitte.

g) *Wie alt ist Frau Brecht?*
   - Ⓐ Sie ist schon 38.
   - Ⓑ Er ist schon 38.
   - Ⓒ Sie ist schon 38 Jahre hier.

h) *Arbeiten Sie hier?*
   - Ⓐ Ich bin Schlosser.
   - Ⓑ Nein, ich bin schon vier Jahre hier.
   - Ⓒ Ja, schon vier Jahre.

B1
BD

Lektion 2

B1
BD

8. Schreiben Sie einen Dialog.

Ich bin Ingenieur.   Natürlich, bitte.

Ich bin Kaufmann. Und Sie?

Nein, ich arbeite hier schon sechs Monate.

~~Guten Tag. Ist hier noch frei?~~

Und was machen Sie?   Sind Sie hier neu?

○ *Guten Tag. Ist hier noch frei?* _____
□ _____
○ _____
□ . . .

B1
SA

9. Ergänzen Sie. Lesen Sie im Kursbuch Seite 20/21.

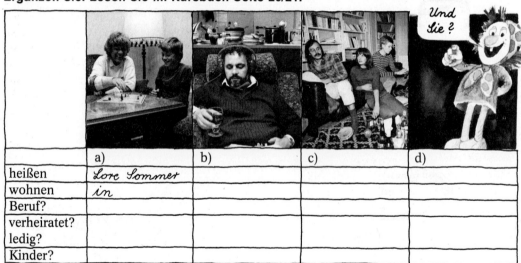

	a)	b)	c)	d)
heißen	Lore Sommer			
wohnen	in			
Beruf?				
verheiratet? ledig?				
Kinder?				

Schreiben Sie.

a) *Das ist Lore Sommer. Sie _____ in _____ . Sie ist _____ und hat _____ Kinder. Sie ist _____*

b) *Das ist* _____

_____

Ebenso: c, d.

14

Lektion 2

10. Was paßt wo? Ergänzen Sie. Bilden Sie Beispielsätze.

B2/3 WS

> aus Ghana, Französisch, in Paris, ~~Bäcker~~, ~~Amadu~~, Chemie, Yasmin, bei Oslo, Ingenieur, in München, Portugiesisch, Elektrotechnik, aus der Türkei, Türkisch, aus (den) USA, Glock, Politik, Franzose, Krankenschwester, Lehrer, Dagmar, bei Genua, Englisch, ~~Deutsch~~, aus China, in Kanada, Vietnamesisch, aus Mexiko, Studentin, Young, Medizin, in der Bundesrepublik Deutschland, Spanier, bei Wien, Griechin, Biologie

a) Wie? > heißen
Amadu
...

d) Was? > sprechen
Deutsch
...

g) Was? > sein
Bäcker
...

b) Wo? arbeiten
...

e) Wo? wohnen
...

h) Wo? liegen
...

c) Woher? kommen
...

f) Was? > lernen
...

i) Was? > studieren
...

11. Ergänzen Sie.

B2/3 WS

a) kommen – aus / wohnen – *in* _____
b) wohnen – Wohnort / heißen – *Name*
c) Henkel – Name / Mechaniker – _____
d) Deutsch – lernen / Chemie – _____
e) Spanisch – sprechen / Kuhn – _____

f) Bernd – Name / Österreich – _____
g) kommen – woher? / wohnen – _____
h) arbeiten – wo? / heißen – _____
i) Alter – alt / Geburtsort – _____
j) geboren – wo? / alt – _____

12. Ergänzen Sie.

B2/3 GR

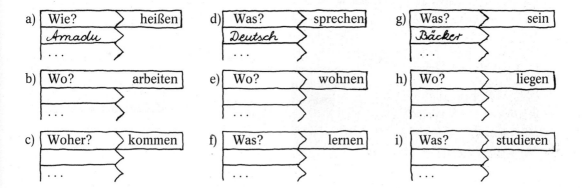

arbeit-   et   en   e   est

wohn-   en   e   st   en

a) ○ _*Arbeitest*_ du hier bei Siemens?
   □   Ja, ich _____ hier.
   ○ Und Klaus _____ auch hier?
   □   Ja, wir _____ hier zusammen.

b) ○ _____ du hier in München?
   □   Ja, ich _____ hier.
   ○ _____ Peter und Barbara auch in München?
   □   Nein, sie _____ in Augsburg.

Lektion 2

B2/3
GR

13. Was paßt zusammen?

	ich	du	Sie	er (Rolf)	sie (Linda)	sie (Rolf und Linda)	
a)			✗			✗	sprechen Arabisch.
b)							arbeitet nicht.
c)							bin Buchhändler.
d)							möchtest Deutsch lernen.
e)							haben zwei Kinder.
f)							kommst aus England.
g)							bist aus London.
h)							ist aus München.
i)							wohnt in Hamburg.
j)							sind aus Frankreich.
k)							möchte in Berlin arbeiten.

B2/3
GR

14. Ergänzen Sie.

	Er/Sie heißt . . .		Er/Sie kommt aus . . .	Er/Sie ist . . .	Er/Sie spricht . . .
a)	Beate Kurz	♀	der Bundesrepublik Deutschland		Deutsch
b)	Linda Salt	♀		Engländerin	
c)	Jean-Paul Faivre	♂			Französisch
d)	Ibrahim El Tahir	♂	Tunesien	*Tunesier*	
e)	Vasquez Jimenez	♂	Peru		
f)	Luisa Tendera	♀		Italienerin	
g)	Peter Miller	♂	(den) USA		
h)	Yasmin Young	♀			Koreanisch
i)	Levent Ergök	♂		Türke	

♂ = männlich   ♀ = weiblich

B2/3
GR

15. Woher kommt er/sie? Schreiben Sie.

a)

b)

c)

d)

Er ist Spanier.
Er kommt aus Spanien.

16

✗16. Ihre Grammatik: Ergänzen Sie.

a) Sind Sie hier neu?
b) Ich lerne hier Deutsch.
c) Ich möchte hier Deutsch lernen.
d) Möchte Bernd in Köln wohnen?

e) Levent arbeitet in Essen.
f) Wo möchten Sie wohnen?
g) Lore wohnt schon vier Jahre in Hamburg.
h) Was machen Sie denn hier?

	Inversions-signal	Subjekt	Verb	Subjekt	Angabe	obligatorische Ergänzung	Verb
a)			Sind	Sie	hier	neu?	
b)							
c)							
d)							
e)							
f)							
g)							
h)							

✗17. Was können Sie auch sagen?

B2/3
BD

a) *Kommen Sie aus Spanien?*
   Ⓐ Arbeiten Sie in Spanien?
   Ⓑ Kommt sie aus Spanien?
   Ⓒ Sind Sie Spanierin?
   Ⓓ Woher kommen Sie?

b) *Was bist du von Beruf?*
   Ⓐ Was machst du?
   Ⓑ Sind Sie Mechaniker?
   Ⓒ Wo arbeiten Sie?
   Ⓓ Was sind Sie von Beruf?

c) *Sie kommt aus Wien.*
   Ⓐ Er wohnt in Wien.
   Ⓑ Sie wohnen in Wien.
   Ⓒ Sie ist aus Wien.
   Ⓓ Sie arbeitet in Wien.

d) *Woher sind Sie?*
   Ⓐ Wo wohnst du?
   Ⓑ Woher bist du?
   Ⓒ Wo wohnen Sie?
   Ⓓ Woher kommen Sie?

e) *Ich komme aus Wien.*
   Ⓐ Ich studiere in Wien.
   Ⓑ Ich bin aus Wien.
   Ⓒ Ich möchte in Wien wohnen.
   Ⓓ Ich arbeite in Wien.

f) *Er ist Österreicher.*
   Ⓐ Er wohnt in Österreich.
   Ⓑ Er studiert in Österreich.
   Ⓒ Er ist aus Österreich.
   Ⓓ Sie kommt aus Österreich.

g) *Was machst du?*
   Ⓐ Was bist du von Beruf?
   Ⓑ Was machst du hier?
   Ⓒ Was machen Sie?
   Ⓓ Was sind Sie von Beruf?

h) *Sind Sie Franzose?*
   Ⓐ Kommen Sie aus Frankreich?
   Ⓑ Sprechen Sie Französisch?
   Ⓒ Wohnen Sie in Frankreich?
   Ⓓ Studieren Sie in Frankreich?

Lektion 2

B2/3
BD

18. Welche Antwort paßt?

a) *Was machst du?*
- Ⓐ Ich bin Mechaniker.
- Ⓑ Ich möchte doch Biologie studieren.
- Ⓒ Ich lerne hier Deutsch.

b) *Guten Tag. Mein Name ist Kurz.*
- Ⓐ Guten Tag. Ich bin Luisa Tendera.
- Ⓑ Guten Tag. Ich komme aus Spanien.
- Ⓒ Guten Tag. Kommt sie aus Holland?

c) *Was machst du hier?*
- Ⓐ Ich lerne hier Englisch.
- Ⓑ Ich bin Bäcker.
- Ⓒ Ich wohne in Bonn.

d) *Sprechen Sie Norwegisch?*
- Ⓐ Nein, lieber Schwedisch.
- Ⓑ Nein, ich spreche Schwedisch.
- Ⓒ Ja, ich lerne Schwedisch.

e) *Kommen Sie aus Indien?*
- Ⓐ Ja, ich bin Indonesierin.
- Ⓑ Ja, sie ist Inderin.
- Ⓒ Nein, aus Pakistan.

f) *Ist sie Griechin?*
- Ⓐ Ja, ich bin Grieche.
- Ⓑ Ja, aus Griechenland.
- Ⓒ Ja, sie ist aus Griechenland.

g) *Lernen Sie Portugiesisch?*
- Ⓐ Nein, ich spreche Deutsch.
- Ⓑ Nein, Spanisch.
- Ⓒ Ja, ich bin Französin.

h) *Wo wohnen Sie?*
- Ⓐ In Mailand.
- Ⓑ Aus Belgien.
- Ⓒ Mechaniker.

B2/3
BD

19. Was paßt zusammen?

A	Ist hier frei?
B	Was machen Sie denn hier?
C	Sind Sie hier neu?
D	Hanau? Wo liegt das denn?
E	Kommen Sie aus Schweden?
F	Wie geht's?
G	Wohnen Sie auch in Köln?
H	Wohnst du hier schon lange?
I	Möchten Sie Feuer?
J	Wo arbeiten Sie?
K	Was machen Sie?
L	Haben Sie Feuer?

1	Ja, bitte.
2	Ja, schon 6 Jahre.
3	Danke, es geht.
4	Nein, in Aachen.
5	Nein, erst drei Monate.
6	In Dortmund.
7	Nein, danke.
8	Ich bin Buchhändler.
9	Ich lerne hier Griechisch.
10	Nein, ich bin Norweger.
11	In der Bundesrepublik.
12	Bei Frankfurt.
13	Nein, ich arbeite schon 4 Monate hier.
14	Natürlich, bitte.
15	Nein, ich bin aus Finnland.
16	Ja, hier.

A	B	C	D	E	F	G	H	I	J	K	L
1, 14	6 13	5 13	11 12	15 10	3	4	5 11	7 1	16 6 8		16 14

20. Schreiben Sie zwei Dialoge.

B2/3
BD

Wie geht's?   ~~Hallo Yasmin.~~   Danke gut. Und dir?   Ich lerne hier Englisch.

Ganz gut. Was machst du denn hier?   Ganz gut. Was machen Sie denn hier?

~~Guten Tag, Herr Kurz.~~   Wie geht es Ihnen?   Guten Tag, Herr Ergök.

Ich lerne hier Englisch.   Hallo Manfred.   Danke gut. Und Ihnen?

a) ○ _Hallo Yasmin._ _____
   □ _____
   ○ _____
   □ _____
   ○ _____
   □ _____

b) ○ _Guten Tag, Herr Kurz_ _____
   □ _____
   ○ _____
   □ _____
   ○ _____
   □ _____

nicht wissen

Eugen Gomringer

nicht wissen wo
nicht wissen was
nicht wissen warum
nicht wissen wie

nicht wissen wo was
nicht wissen wo warum
nicht wissen wo wie

nicht wissen was wo
nicht wissen was warum
nicht wissen was wie

nicht wissen warum wo
nicht wissen warum was
nicht wissen warum wie

nicht wissen wie wo
nicht wissen wie was
nicht wissen wie warum

nicht wissen wo was warum
nicht wissen wo was wie
nicht wissen wo wie warum

nicht wissen was warum wie
nicht wissen was wo warum
nicht wissen was wo wie

nicht wissen warum wo was
nicht wissen warum was wie
nicht wissen warum wie wo

nicht wissen wie wo was
nicht wissen wie wo warum
nicht wissen wie warum was

nicht wissen wo was warum wie
nicht wissen wo warum wie was
nicht wissen wo wie was warum

nicht wissen was wo warum wie
nicht wissen was warum wie wo
nicht wissen was wie wo warum

nicht wissen warum wo was wie
nicht wissen warum was wie wo
nicht wissen warum wie wo was

nicht wissen wie wo was warum
nicht wissen wie was warum wo
nicht wissen wie warum wo was

nicht wissen
nicht wissen
nicht wissen
nicht wissen

Rudolf Steinmetz

Konjugation

Ich gehe

du gehst

er geht

sie geht

es geht.

Geht es?

Danke – es geht.

○ Heißt du Sabine?

□ Nein.

○ Heißt du Karin?

□ Auch nicht.

○ Heißt du viel-
leicht Susanne?

Helmut Müller
Ohne Namen

□ Aber nein.

○ Heißt du Karola?

□ Falsch.

○ Heißt du dann
vielleicht Brigitte?

□ Auch falsch.

○ Heißt du etwa Maria?

□ Aber nein!

○ Wie heißt du dann?

□ Ich habe keinen Namen…
Ich bin doch nur ein Traum.

Wer schreibt mir?

Seit 2 Monaten bin ich in Prato (bei Florenz) und arbeite als Au pair Mädchen. Ich spreche nicht sehr gut Italienisch und suche deutsche und englische Freunde für Brieffreundschaft. Meine Hobbys sind: Lesen, Ski fahren, Schwimmen, Reisen. Bitte schreibt schnell (englisch oder deutsch) an:
Miriam Hansen,
c/o Umberto Rossi, Via Apulia 17, Prato (Italien).

Ich bin 65 Jahre alt und Rentner. Von Beruf bin ich Französisch-Lehrer. Ich möchte gern weiter spanisch und französisch lesen und schreiben und suche Briefkontakte mit Spaniern und Franzosen. Schreiben Sie mir; ich antworte sofort.
Johann Schettler,
Portenstraße 21,
D–4230 Wesel 1.

Ich bin Spanier, aber ich wohne schon 20 Jahre in der Bundesrepublik. Ich suche eine deutsche Brieffreundin. Ich spreche sehr gut Deutsch und bin 28 Jahre alt. Von Beruf bin ich Bank-Kaufmann und wohne in Erkrath. Das liegt bei Düsseldorf. Meine Hobbys sind Autos und Tennis spielen. Schreiben Sie bitte auf deutsch. Ich antworte sofort.
Juan Ortiz Blasco,
Hildener Straße 122,
8006 Erkrath 2.

Wer möchte auch Briefe auf französisch schreiben. Ich lerne seit zwei Jahren Französisch und suche Brieffreunde. Hobbys: Gitarre spielen, Tiere, Radfahren, Sprachen lernen. Ich studiere Physik in Frankfurt, bin ganz hübsch und 23 Jahre alt. Wer schreibt mir?
Andrea Urban,
Winnebergerstraße 4,
D–8904 Friedberg.

Silben zum Kauen und Lutschen
(frei nach Jürgen Spohn: Silben zum Kauen und Lutschen)

Nime	Fisch	Tig
und Neme	und Fesch	und Teg
und Name	und Fasch	und Tag
und Nome	und Fosch	und Tog
Mind	Birg	Lind
und Mend	und Berg	und Lend
und Mand	und Barg	und Land
und Mond	und Borg	und Lond
Fiß	Mirgen	Bich
und Feß	und Mergen	und Bech
und Faß	und Margen	und Bach
und Foß	und Morgen	und Boch
Dialog	Chilene	Thimen
und Dealog	und Chelene	und Themen
und Daalog	und Chalene	und Thamen
und Doalog	und Cholene	und Thomen

Lektion 3

B1 WS

1. Finden Sie hier 23 Wörter?

A	W	O	H	N	Z	I	M	M	E	R	M	N	V	W	X	F	N	T	T	O	W	A	S	C	H	B	E	C	K	E	N	D	T	I	E
R	M	L	A	W	A	E	D	T	V	B	W	O	G	V	A	M	Ö	B	E	L	P	K	S	J	T	O	ß	U	F	C	B	H	O	V	A
T	M	O	U	B	U	U	D	L	X	E	L	P	G	M	D	D	E	O	P	T	F	S	C	U	N	G	Z	Ö	L	Y	G	E	I	W	Z
Q	I	R	S	T	U	H	L	D	H	C	L	I	H	I	C	U	U	N	P	S	M	L	H	V	B	N	I	B	U	N	G	A	L	O	W
S	K	S	I	I	M	B	A	D	E	W	A	N	N	E	Y	S	M	K	I	N	D	E	R	Z	I	M	M	E	R	S	U	D	E	H	G
P	Ü	J	H	S	F	Z	Q	Y	G	F	M	Q	B	T	D	C	C	L	C	S	G	K	A	W	I	H	M	T	X	Z	F	X	T	N	Y
R	C	O	U	C	H	X	R	K	B	I	P	J	R	E	I	H	E	N	H	A	U	S	N	W	P	S	E	S	S	E	L	B	T	U	J
N	H	Q	C	H	G	B	E	T	T	J	E	T	S	Y	S	E	K	I	R	H	B	Q	K	V	Q	L	R	D	Y	A	U	W	E	N	K
O	E	D	P	Y	E	A	C	H	K	U	A	F	J	M	Z	R	Q	J	L	P	R	A	P	R	Q	M	W	X	C	Z	R	C	Y	G	Z

B1 GR

2. Ergänzen Sie.

a) Schlafzimmer

b) Wohnzimmer

a) Schlafzimmer:

Was ist da?	Aber da ist	Und was ist kaputt?
ein Tisch	*kein*	*der*
eine		

b) Wohnzimmer:

Was ist da?	Aber da ist	Und was ist kaputt?

3. ‚Der‘ oder ‚ein‘, ‚die‘ oder ‚eine‘, ‚das‘ oder ‚ein‘? Ergänzen Sie.

a) ☐ Was ist Nr. 2?   ○ _Ein_ _____ Schrank.
b) ☐ Kostet _____ Schrank 480,– DM?   ○ Nein, _____ Couch kostet 480,– DM.
c) ☐ Was kostet 110,– DM?   ○ _____ Tisch.
d) ☐ Nr. 5, ist das _____ Sessel?   ○ Nein, _____ Stuhl.
e) ☐ Was kostet 73,– DM?   ○ _____ Lampe.
f) ☐ Ist Nr. 7 _____ Tisch?   ○ Nein, _____ Sessel.
g) ☐ Was kostet _____ Sessel?   ○ 262,– DM.
h) ☐ Was ist Nr. 1?   ○ _____ Teppich.

4. ‚Ja‘, ‚nein‘, ‚doch‘? Ergänzen Sie.

a) Haben Sie keine Wohnung?   _Doch_, ich habe eine Wohnung.
b) Wohnen Sie nicht in Kassel?   _____, ich wohne in Hannover.
c) Ist das keine Couch?   _____, das ist eine Couch.
d) Ist der Tisch neu?   _____, der Tisch ist neu.
e) Ist die Wohnung nicht groß?   _____, da sind sieben Zimmer.
f) Ist das kein Sessel?   _____, das ist ein Sessel.
g) Ist da keine Badewanne?   _____, aber eine Dusche.
h) Ist das Badezimmer groß?   _____, sehr groß.
i) Sind die Stühle neu?   _____, aber der Schrank.

Lektion 3

B1
GR

5. ‚Wer' oder ‚Was'? Fragen Sie.

a) _Wer ist das_ _____? Herr Santes.
b) _____? Ein Stuhl.
c) _____? Das ist eine Lampe.
d) _____? Das ist Yasmin Young.
e) _____ ist _____? Herr und Frau Link.
f) _____ ist Herr Schäfer? Programmierer.
g) _____ ist Programmierer? Herr Schäfer.
h) _____ wohnt in Stuttgart? Lore Sommer.
i) _____ ist Frau Groß? Sie ist Sekretärin.

B2/3
WS

6. Ergänzen Sie.

a) alt   – _____ _neu_ _____   e) praktisch – _____
b) häßlich   – _____   f) groß   – _____
c) ungemütlich– _____   g) modern   – _____
d) gut   – _____   h) unbequem – _____

B2/3
WS

7. Ergänzen Sie.

Küche

Zimmer

B2/3
GR

8. ‚Wer', ‚Was', ‚Woher', ‚Wo', ‚Wie', ‚Wieviel'? Fragen Sie.

a) ☐ Das ist ein Hochhaus.   ○ _Was ist das_ _____? ☐ Ein Hochhaus.
b) ☐ Es liegt in Wien.   ○ _____? ☐ In Wien.
c) ☐ Da wohnt Renée Faber.   ○ _____? ☐ Renée Faber.
d) ☐ Die Wohnung kostet 680,– DM. ○ _____? ☐ 680,– DM.
e) ☐ Sie hat 80 m².   ○ _____? ☐ 80 m².
f) ☐ Sie hat drei Zimmer.   ○ _____? ☐ Drei.
g) ☐ Sie ist sehr modern.   ○ _____? ☐ Sehr modern.
h) ☐ Renée Faber ist Sekretärin. ○ _____? ☐ Sekretärin.
i) ☐ Sie kommt aus Frankreich.   ○ _____? ☐ Aus Frankreich.
j) ☐ Herr Faber ist Österreicher. ○ _____? ☐ Herr Faber.
k) ☐ Er ist Ingenieur.   ○ _____? ☐ Ingenieur.

9. Schreiben Sie.

a) Schrank – Lampe
○ *Ist der Schrank neu?* □ *Nein, der ist alt.*
○ *Und die Lampe?* □ *Die auch.*

Ebenso: b) Bett – Tisch, c) Sessel – Couch d) Stühle – Schrank e) Teppich – Lampe

b) ○ Ist *das Bett* neu? □ Nein, _____ ist alt.
○ Und _____? □ _____ auch.

c) ○ Sind _____ bcquem? □ Nein, _____ sind unbequem.
○ Und _____? □ _____ auch.

d) ○ Sind _____ schön? □ Nein, _____ sind häßlich.
○ Und _____? □ _____ auch.

e) ○ Ist _____ neu? □ Nein, _____ ist alt.
○ Und _____? □ _____ auch.

10. Ergänzen Sie.

| die Wohnung | das | ~~es~~ | er | das Zimmer | die | es | der |
| ~~das~~ | sie | ~~das Appartement~~ | es | sie | er | der Bungalow | ~~es~~ |

a) ○ *Das Appartement* in der Zeitung, ist ___*das*___ noch frei?
□ Ja.
○ Wie groß ist ___*es*___ denn?
□ 56 Quadratmeter.
○ Und was kostet ___*es*___?
□ 236,– DM.

b) ○ _____ in der Zeitung, ist _____ noch frei?
□ Nein, _____ ist leider schon weg.
○ Schade.

c) ○ _____ in der Zeitung, ist _____ noch frei?
□ Ja.
○ Wieviel Zimmer hat _____ denn?
□ Vier Zimmer, Küche, Bad.
○ Und was kostet _____?
□ 1200,– DM.

d) ○ _____ in der Zeitung, ist _____ noch frei?
□ Ja.
○ Und was kostet _____?
□ 420,– DM.
○ Und wo ist _____?
□ In Dortmund-Hambruch, Heisterstr. 5.

25

Lektion 3

**B/2/3
GR**

11. Ihre Grammatik: Ergänzen Sie.

	Artikel + Nomen	Definitpronomen	Personalpronomen
Maskulinum	der Bungalow	der	er
Femininum	die Wohnung	die	Sie sie
Neutrum	das Zimmer	das	es

**B2/3
BD**

12. Was können Sie auch sagen?

a) *Das Zimmer ist 20 Quadratmeter groß.*
   Ⓐ Das Zimmer ist sehr groß.
   Ⓑ Das Zimmer hat 20 Quadratmeter.
   Ⓒ Das Zimmer ist nur 20 Quadratmeter groß.

b) *Das Zimmer ist noch frei.*
   Ⓐ Das Zimmer ist schon weg.
   Ⓑ Das Zimmer, ist das noch frei?
   Ⓒ Das Zimmer ist noch nicht weg.

c) *Wie teuer ist die Wohnung?*
   Ⓐ Ist die Wohnung teuer?
   Ⓑ Wieviel kostet die Wohnung?
   Ⓒ Wieviel kostet es?

d) *Die Wohnung ist toll.*
   Ⓐ Ich finde, die Wohnung ist teuer.
   Ⓑ Die Wohnung ist sehr modern.
   Ⓒ Die Wohnung ist phantastisch.

e) *Der Tisch ist nicht neu, nur die Sessel.*
   Ⓐ Der Tisch ist alt, nur die Sessel nicht.
   Ⓑ Der Tisch ist alt, die Sessel auch.
   Ⓒ Nur die Sessel sind alt, der Tisch nicht.

f) *Wo liegt die Wohnung?*
   Ⓐ Wo ist die Wohnung?
   Ⓑ Wie liegt die Wohnung?
   Ⓒ Wie ist die Wohnung?

**B2/3
BD**

13. Welche Antwort paßt?

a) *Und wie finden Sie die Couch?*
   Ⓐ Ja, sehr gemütlich.
   Ⓑ Die ist sehr gemütlich.
   Ⓒ Doch, sie ist sehr gemütlich.

b) *Und der Tisch, ist der neu?*
   Ⓐ Nicht alle, nur der Tisch.
   Ⓑ Nein, aber der Stuhl.
   Ⓒ Doch, der Tisch ist auch neu.

c) *Ich finde, der Stuhl ist unbequem.*
   Und Sie? Finden Sie das auch?
   Ⓐ Doch, der Stuhl ist unbequem.
   Ⓑ Nein, der Stuhl ist auch unbequem.
   Ⓒ Ja, der Stuhl ist nicht sehr bequem.

d) *Wie sind die Möbel?*
   Ⓐ Die sind unmodern.
   Ⓑ Die kosten 830,– DM.
   Ⓒ Die sind noch frei.

e) *Ist die Wohnung noch frei?*
   Ⓐ Oh, schade.
   Ⓑ Ich möchte sofort kommen.
   Ⓒ Ja, aber drei Leute sind schon hier.

f) *Wo liegt die Wohnung denn?*
   Ⓐ Vier Leute sind schon hier.
   Ⓑ Sie ist leider schon weg.
   Ⓒ In der Kirchenstraße.

g) *Ich möchte sofort kommen.*
   Geht das?
   Ⓐ Ja, ich möchte auch kommen.
   Ⓑ Ja, noch sind keine Leute hier.
   Ⓒ Ja, die Wohnung kostet 450,– DM.

h) *Wie sind die Verkehrsverbindungen?*
   Ⓐ Nicht so gut.
   Ⓑ Sehr lange.
   Ⓒ Sehr häßlich.

14. Was paßt zusammen?

A	Ist das keine Couch?	1	Nicht alle.	A	5
B	Ist die Wohnung ungemütlich?	2	Es geht.	B	2/9
C	Wie teuer ist das Zimmer?	3	Nur 16 Quadratmeter.	C	7
D	Sind die Möbel neu?	4	Hohlweg 12.	D	1
E	Wie groß ist das Wohnzimmer?	5	Doch.	E	3
F	Liegt die Wohnung gut?	6	Nein, es ist schon weg.	F	9/2
G	Ist das Zimmer noch frei?	7	Nur 180,– DM.	G	6
H	Wie ist die Adresse?	8	Bequem ja, aber nicht schön.	H	4/2
I	Ist der Stuhl bequem?	9	Das finde ich nicht.	I	8

15. Schreiben Sie einen Dialog.

○ Die Wohnung ist toll.
□ Das finde ich auch.
○ _____
□ _____
○ _____
□ _____
○ _____
□ _____
○ _____
□ _____
○ _____

Und wie sind die Verkehrsverbindungen hier?   Sag mal: Sind die Möbel neu?

Nur 220 Mark.   Wieviel kostet die denn?   ~~Das finde ich auch.~~

Nein, nur die Sessel.   Die sind sehr schön und auch bequem.   Nicht so gut.

~~Die Wohnung ist toll.~~   42 Quadratmeter.   Das ist billig. Und wie groß ist sie?

Lektion 3

16. Schreiben Sie eine Karte.

> Mettmann, 5.3.83
>
> Liebe Sonja, lieber Jochen,
> wie geht es Euch? Wir haben
> jetzt ein Reihenhaus in
> Mettmann. Das ist bei
> Düsseldorf. Das Haus liegt
> phantastisch. Es hat vier
> Zimmer und ist 102 Quadrat-
> meter groß.
> Kommt doch mal nach Mett-
> mann! Wir haben jetzt
> auch ein Gästezimmer.
>
> Herzliche Grüße
> Karin und Lukas

60 DEUTSCHE BUNDESPOST
RÖNTGENGERÄT

> An
> Sonja und Jochen Leist
> Rückertstraße 16
> 7000 Stuttgart

Schreiben Sie jetzt eine Karte.

Sie haben ein Haus, eine Wohnung, ein Zimmer in . . .
Sie/es kostet . . ., liegt . . ., hat . . ., ist . . .

Einige Leute möchten nicht in modernen Hochhäusern wohnen. Auch Reihenhäuser finden Sie nicht gut. Sie wohnen lieber in alten Kirchen, Türmen oder Bahnhöfen.

Die Künstlerfamilie Goertz wohnt in einer Barockkirche in Eichtersheim. Das liegt bei Heidelberg. Die 200 Jahre alte Kirche ist jetzt eine große und gemütliche Wohnung: 5 Zimmer, 2 Bäder und eine Küche.

Hier wohnt der Student Dorotheus Graf von Rothkirch. Er studiert Kunst. Der Turm ist 130 Jahre alt und liegt bei Bonn. Die Wohnung ist leider etwas unbequem, denn das Telefon ist im Erdgeschoß und das Wohnzimmer im 5. Stock.

Komische Adressen

Ein alter Bahnhof ist die Wohnung von Hermann Haeck. Der Kölner ist schon 66 Jahre alt und Wirtschaftsprüfer von Beruf. Hermann Haeck arbeitet noch, denn der Bahnhof kostet sehr viel Geld. Er hat auch eine alte Lokomotive. Die und der Bahnhof sind sein Hobby.

Möbel für junge

Es gibt 62 Millionen Bundesdeutsche, 7 Millionen sind Singles und wohnen allein. Besonders junge Leute, möchten in einer eigenen Wohnung und nicht mehr bei den Eltern wohnen.

Auch Brigitte (20, Krankenschwester) wohnt jetzt allein. Sie hat ein eigenes Zimmer mit Bad. Es liegt sehr schön und ist auch nicht zu teuer. Teuer aber sind die Möbel, und Brigitte verdient wenig. Das Zimmer ist klein, nur 18 Quadratmeter. Brigitte sucht deshalb praktische Möbel: z.B. eine Bettcouch,

Klappstühle und einen Klapptisch.
Ein Möbelprogramm für junge Leute wie Brigitte hat jetzt das Möbelhaus Ankora. Die Möbel sind nicht zu teuer und besonders für kleine Wohnungen sehr praktisch.
Hier einige Beispiele aus dem neuen Programm.

Borg Bettcouch

AKKA Klapptisch

BIBO Sessel

TED Klappstuhl

Lektion 4

B1/2 WS

1. Was paßt nicht?

a) Kaffee – Tee – Milch – ~~Suppe~~ – Mineralwasser

b) Braten – Hähnchen – Gemüse – Kotelett – Steak

c) Glas – Flasche – Stück – Tasse – Kaffee

d) Gabel – Löffel – Messer – Tasse

e) Tasse – Gabel – Glas – Teller

f) Bier – Brot – Salat – Steak – Eis

B1/2 WS

2. Was paßt?

a) Kaffee – Tasse / Bier – *Glas*

b) Tee – trinken / Suppe – _____

c) Campari – bitter / Kuchen – _____

d) Abend – Abendbrot / Mittag – _____

e) Steak – Hauptgericht / Eis – _____

f) Forelle – Fisch / Kotelett – _____

B1/2 WS

3. Ergänzen Sie.

a) 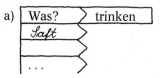 Was? > trinken / *Saft* / . . .

b) 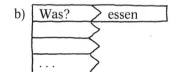 Was? > essen / . . .

c) 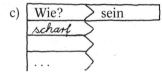 Wie? > sein / *scharf* / . . .

B1/2 WS

4. Bilden Sie Wörter.

Orangen	Wurst	Suppe	Fisch
Gemüse	Käse	Kartoffel	Steak
Salat	Apfel	Aprikosen	Brot
Saft	Rinder	Tomaten	Marmelade

Orangensaft, _____

_____

_____

B1/2 WS

5. Was paßt? Schreiben Sie.

Flasche   Glas   Tasse   Stück

a) 2 _____*Tassen*_____ Kaffee

b) 4 _____ Kuchen

c) 1 _____ Apfelsaft

d) 3 _____ Mineralwasser

e) 1 _____ Wein

f) 2 _____ Bier

g) 5 _____ Tee

h) 2 _____ Milch

i) 1 _____ Orangensaft

j) 2 _____ Brot

B1/2 WS

6. Finden Sie hier 36 Wörter aus Lektion 4?

A	X	S	E	C	U	X	A	N	M	A	R	M	E	L	A	D	E	O	A	D	K	A	F	F	E	E	D	G	B	O	H	N	E	N	C
S	A	F	T	G	V	B	D	O	I	K	E	E	L	Ö	S	N	C	B	G	X	U	L	K	O	H	H	A	A	X	B	F	P	M	Q	P
T	C	B	F	H	G	A	B	E	L	J	I	S	X	F	M	Y	F	V	P	B	C	K	V	N	X	B	W	A	S	S	E	R	Q	A	J
E	I	R	L	S	J	W	U	H	C	I	S	S	M	F	G	K	I	P	A	Q	H	Ä	H	N	C	H	E	N	F	T	F	R	D	O	O
A	T	O	Z	A	L	N	T	G	H	E	D	E	V	E	E	C	S	U	P	P	E	S	J	U	W	I	I	E	J	Y	B	B	O	C	G
K	O	T	E	L	E	T	T	J	R	Q	C	R	B	L	M	K	C	Z	F	H	N	E	K	D	E	G	N	A	C	H	T	I	S	C	H
B	L	U	Q	A	M	E	E	T	L	I	A	Z	I	V	Ü	F	H	D	E	I	S	L	M	E	H	L	D	W	E	Z	S	D	E	N	V
W	U	R	S	T	O	E	R	I	N	D	F	L	E	I	S	C	H	S	L	T	M	Y	Ö	L	V	C	R	M	I	Z	U	C	K	E	R
M	W	P	R	S	E	F	W	A	U	I	E	Y	R	V	E	G	J	E	H	L	F	U	K	N	T	G	L	Z	T	H	J	U	S	I	T

7. Was paßt?

B1/2
WS

	a) Öl	b) Waschmittel	c) Joghurt	d) Wein	e) Zucker	f) Cola	g) Saft	h) Nudeln	i) Kaffee	j) Reis	k) Tee	l) Mehl	m) Margarine	n) Milch
A Glas														
B Dose	X													
C Flasche	X													
D Becher														
E Packung														

8. Wie heißt der Plural?

B1/2
GR

a) Brot   – _Brote_   h) Glas   – _____   o) Flasche   – _____
b) Stück   – _____   i) Apfel   – _____   p) Steak   – _____
c) Getränk   – _____   j) Tasse   – _____   q) Kartoffel – _____
d) Messer   – _____   k) Fisch   – _____   r) Kuchen   – _____
e) Gabel   – _____   l) Saft   – _____   s) Löffel   – _____
f) Ei   – _____   m) Kotelett – _____   t) Hähnchen – _____
g) Suppe   – _____   h) Dose   – _____   u) Tomate   – _____

9. Schreiben Sie.

B1/2
GR

Familie Meinen ißt im Schnellimbiß.

a) Herr Meinen möchte
ein Kotelett,
_____
_____

b) Frau Meinen möchte
eine Portion P.F.
eine Gulaschsuppe
eine Tasse Kaffe

c) Michael möchte
eine Cola
ein Hähnchen
ein Eis.

d) Sonja möchte
einen Apfelsaft.
ein Käsebrot.
einen Kuchen.

33

Lektion 4

B1/2 GR

10. Schreiben Sie Dialoge.

> Ich möchte ein Kotelett. Und du?
>
> Und warum nicht?

> Ich esse kein Kotelett.
>
> Das ist zu fett.

a) Kuchen — essen / warum nicht? — süß

○ Ich möchte...
□ _____
○ _____
□ _____

b) Wein — trinken / warum nicht? — teuer

○ _____
□ _____
○ _____
□ _____

c) Gulaschsuppe — essen / warum nicht? — scharf

○ _____
□ _____
○ _____
□ _____

d) Eis — essen / warum nicht? — macht dick

○ _____
□ _____
○ _____
□ _____

B1/2 GR

11. Ergänzen Sie.

a) Ich esse einen Kuchen. ___*Er*___ macht dick, aber ___*er*___ schmeckt gut.

b) Den Wein trinke ich nicht. _____ ist zu sauer.

c) Das Bier trinke ich nicht. _____ ist zu warm.

d) Ich esse ein Steak. _____ ist teuer, aber _____ schmeckt gut.

e) Ich esse keine Marmelade. _____ ist zu süß, und _____ macht dick.

f) Ich trinke ein Bier. _____ schmeckt gut, und _____ ist nicht teuer.

g) Die Milch trinke ich nicht. _____ ist sauer.

h) Die Kartoffeln esse ich nicht. _____ sind kalt.

i) Ich trinke keinen Campari. _____ ist zu bitter.

j) Das Brot esse ich nicht. _____ ist alt.

B1/2 GR

12. Ergänzen Sie.

| trink-en, sein, schmeck-en, nehm-en, ess-en |

○ Was *nimmst* du denn?

□ Ich _____ einen Fisch.

○ Fisch? Der _____ doch zu teuer.

□ Na ja, aber er _____ gut.

    Was _____ du denn?

○ Ich _____ ein Hähnchen.

□ Hähnchen, das _____ doch nicht.

    _____ doch lieber ein Kotelett!

○ Das _____ ich nicht gern.

□ Und was _____ du?

○ Ich _____ ein Bier.

□ Und ich _____ einen Orangensaft.

34

13. Schreiben Sie.

a)

○ *Bekommen Sie das Hähnchen?*

□ *Nein, ich bekomme den Fisch.*

Ebenso:
b) Wein – Bier
c) Eis – Kuchen
d) Suppe – Käsebrot
e) Fisch – Kotelett
f) Kaffee – Tee

14. Bilden Sie Sätze.

a) | Brötchen > essen |
(Klaus, zum Frückstück)

b) | Bier > trinken |
(Renate, zum Abendbrot)

c) | Kuchen > nehmen |
(Herr Kurz, später)

d) | Milch > trinken > mögen |
(er, lieber)

Ihre Grammatik: Ergänzen Sie.

	Inversions-signal	Subjekt	Verb	Subjekt	Angabe	obligatorische Ergänzung	Verb
a)	*Zum Frühstück* *Brötchen*	*Klaus* *Klaus*	*ißt* *ißt* *ißt* *ißt*	*Klaus* *Klaus*	*zum Frühstück* *zum Frühstück.*	*Brötchen.* *Brötchen.* *Brötchen.*	
b)							
c)							
d)							

Lektion 4

15. Machen Sie Dialoge.

Und Sie bezahlen den
Wein und die Gemüsesuppe?   Nein, getrennt.

Zusammen?   Ja, die ist sehr gut.

Eine Flasche Mineralwasser.

Die Rinderroulade und das Mineralwasser.   Das macht 17,50 DM.

Gibt es eine Gemüsesuppe?

Ja, richtig.   Und was möchten Sie trinken?

Und was bekommen Sie?   ~~Bezahlen bitte!~~

Was bezahlen Sie?   ~~Was bekommen Sie?~~

Mit Reis oder Kartoffeln?

Dann bitte eine Gemüsesuppe und   Mit Kartoffeln.
ein Glas Wein.   Eine Rinderroulade bitte.
9,60 DM bitte.

a) ○ *Was bekommen Sie?* _____
   □ _____
   ○ ...
   □ ...

b) ○ *Bezahlen bitte!* _____
   □ _____
   ○ ...
   □ ...

16. Was paßt zusammen? Ergänzen Sie.

| Wasser ~~Wurstbrot~~ ~~Suppe~~ Kartoffeln Eier Marmelade Salat Käsebrot Milch |
| Kuchen Tee Kotelett Gemüse Kaffee ~~Steak~~ Fleisch Fisch Hähnchen |

a)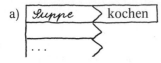
Suppe 〉 kochen
... 〉

b)
Steak 〉 braten
... 〉

c)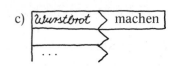
Wurstbrot 〉 machen
... 〉

17. ‚Nicht‘ oder ‚kein‘? Ergänzen Sie.

a) ○ Wie ist die Suppe?   □ Die schmeckt ___*nicht*___ gut.

b) ○ Möchtest du ein Bier?   □ Weißt du das_____? Ich trinke
doch _____ Alkohol.

c) ○ Gibt es noch Wein?   □ Nein, wir haben _____ mehr.

d) ○ Ich heiße Lopez Martinez Camegeo.   □ Wie bitte? Ich verstehe Sie _____.

e) ○ Nehmen Sie doch noch etwas!   □ Nein danke, ich möchte _____
Fleisch mehr.

f) ○ Möchten Sie ein Kotelett?   □ Nein danke, Schweinefleisch esse ich
_____.

36

18. Was paßt zusammen?

B3
BD

A	Wer möchte noch ein Bier?	1	Vielen Dank.	A	3	
B	Möchtest du noch Kartoffeln?	2	Nicht so gern, lieber Kartoffeln.	B		
C	Haben Sie Gemüsesuppe?	3	Ich, bitte.	C		
D	Das schmeckt sehr gut.	4	Danke, sehr gut.	D		
E	Wie schmeckt es?	5	13,70 DM.	E		
F	Ißt du gern Reis?	6	Ich glaube Gulaschsuppe.	F		
G	Wieviel macht das?	7	Doch, das Fleisch ist phantastisch.	G		
H	Schmeckt es nicht?	8	Nein, die ist zu scharf.	H		
I	Ist das Rindfleisch?	9	Tee bitte.	I		
J	Was gibt es zum Abendbrot?	10	Nein danke, ich bin satt.	J		
K	Schmeckt die Suppe nicht?	11	Nein, Schweinefleisch.	K		
L	Möchten Sie Tee oder Kaffee?	12	Nein, aber Zwiebelsuppe.	L		

6/1/89

19. Welche Antwort paßt?

B3
BD

a) *Essen Sie gern Fisch?*
   Ⓐ Nein, ich habe noch genug.
   Ⓑ Ja, aber Kartoffeln.
   Ⓒ Ja, sehr gern.

b) *Was möchten Sie trinken?*
   Ⓐ Eine Suppe bitte.
   Ⓑ Einen Tee.
   Ⓒ Lieber einen Kaffee.

c) *Möchten Sie den Fisch mit Reis?*
   Ⓐ Lieber das Steak.
   Ⓑ Ich nehme lieber Fisch.
   Ⓒ Lieber mit Kartoffeln.

d) *Bekommen Sie das Käsebrot?*
   Ⓐ Nein, ich bekomme ein Hähnchen.
   Ⓑ Ja, das trinke ich.
   Ⓒ Ja, das habe ich.

e) *Nehmen Sie doch noch etwas!*
   Ⓐ Ja, ich bin satt.
   Ⓑ Nein danke, ich habe genug.
   Ⓒ Es schmeckt phantastisch.

f) *Gibt es heute Hähnchen?*
   Ⓐ Ich weiß nicht.
   Ⓑ Nein, lieber Fisch.
   Ⓒ Nein, aber zum Abendbrot.

20. Was können Sie auch sagen?

B3
BD

a) *Was möchten Sie?*
   Ⓐ Bitte schön?
   Ⓑ Was bekommen Sie?
   Ⓒ Was bezahlen Sie?

b) *Ich nehme einen Wein.*
   Ⓐ Ich bezahle einen Wein.
   Ⓑ Ich trinke einen Wein.
   Ⓒ Einen Wein bitte.

c) *Wie schmeckt die Suppe?*
   Ⓐ Schmeckt die Suppe nicht?
   Ⓑ Schmeckt die Suppe?
   Ⓒ Wie ist die Suppe?

d) *Essen Sie doch noch etwas Fleisch!*
   Ⓐ Es gibt noch Fleisch. Nehmen Sie!
   Ⓑ Nehmen Sie doch noch etwas Fleisch!
   Ⓒ Gibt es noch Fleisch?

e) *Das kostet 8,50 DM.*
   Ⓐ Ich habe 8,50 DM.
   Ⓑ Ich bezahle 8,50 DM.
   Ⓒ Das macht 8,50 DM.

f) *Danke, ich habe genug.*
   Ⓐ Danke, ich bin satt.
   Ⓑ Danke, ich möchte nicht mehr.
   Ⓒ Danke, der Fisch schmeckt sehr gut.

Lektion 4

B3
BD

21. Schreiben sie zwei Dialoge.

Toll! Wie heißt das?   ~~Guten Appetit!~~   Das kenne ich nicht. Was ist das?

Schweinefleisch mit Kartoffeln und Gemüse.   Möchtest du noch etwas?

~~Danke~~   Pichelsteiner Eintopf.   Das schmeckt ja phantastisch.   Guten Appetit!

Was ist denn das?   Ja gern. Sie kochen wirklich gut.   Falscher Hase.

Nehmen Sie doch noch etwas.   Wie schmeckt's?   Das schmeckt ja prima.

Danke gleichfalls.   Falscher Hase? Das ist Hackfleisch mit Ei und Brötchen.

Danke sehr gut. Wie heißt das?   ~~Schmeckt es Ihnen?~~   Nein danke, ich habe noch genug.

a) ○ _Guten Appetit!_ _____   b) ○ _____
   □ _Danke._ _____   □ _____
   ○ _Schmeckt es Ihnen?_ _____   ○ _____
   □ _____   □ _____
   ○ _____   ○ _____
   □ _____   □ _____
   ○ _____   ○ _____
   □ _____   □ _____
   ○ _____   ○ _____
   □ _____   □ _____

Müsli ist gesund

Viele Deutsche finden: das Frühstück ist sehr wichtig. Auch die Mediziner sagen: „Essen Sie morgens viel und abends wenig. Das ist gesund." Das Abendessen, so meinen sie, ist nicht so wichtig. Wir möchten wissen: Was essen Deutsche zum Frühstück? Essen sie wirklich sehr viel oder nicht? In Frankfurt machten wir ein Straßen-Interview und fragten einige Leute.

Der erste ist Christian G. Er ist Lastwagenfahrer von Beruf.

Forum: *Herr G., was essen Sie zum Frühstück?*

Herr G.: Ich esse zwei oder drei Brote mit Wurst oder Käse und trinke zwei Tassen Kaffee und ein Glas Milch.

400 Meter weiter treffen wir Wolfgang S. Er ist Schüler.

Wolfgang S.: Morgens esse ich immer ein Müsli mit Milch oder Saft. Das schmeckt sehr gut und ist gesund.

Forum: *Und was trinkst du?*

Wolfgang S.: Einen Orangensaft. Oft trinke ich auch nichts.

Die nächste ist Ursula S. (22). Sie ist Bürokaufmann.

Forum: *Was essen Sie zum Frühstück?*

Ursula S.: Nichts.

Forum: *Machen Sie das oft?*

Ursula S.: Nein, nicht immer. Aber ich mache gerade eine Diät.

Wir brauchen jetzt auch ein Frühstück und gehen ins Café Schwille. Dort fragen wir Marina C.

Marina C.: Mein Mann und ich essen kein Frühstück, wir trinken nur einen Tee.

Forum: *Und warum?*

Marina C.: Wir haben morgens nur wenig Zeit.

Forum: *Haben Sie dann keinen Hunger?*

Marina C.: Doch. Ich esse hier im Café ein oder zwei Brötchen. Und mein Mann bekommt in der Kantine ein Frühstück.

Stefan Suhlke
Leben
Essen – Trinken – Schlafen
Ein bißchen Lieben
Ein bißchen Schmerzen
Ein bißchen Glück

Nichts besonderes

Bertolt Brecht

Liedchen aus alter Zeit
Eins. Zwei. Drei. Vier.
Vater braucht ein Bier.
Vier. Drei. Zwei. Eins.
Mutter braucht keins.

Jürgen Spohn
Kindergedicht:

**Honig, Milch
und Knäckebrot –
manche Kinder
sind in Not**

**Zucker, Ei
und Früchtequark –
macht nur manche
Kinder stark**

**Götterspeise
Leibgericht –
kennen
manche Kinder nicht**

**Wurst und Käse
Vollkornbrot –
manche Kinder
sind schon tot**

Yaak Karsunke *boycott à la carte*

keine portugiesischen sardinen
keine spanischen oliven
keinen retsina

keine orangen
(südafrika & die apartheid
israel & die araber
die usa in vietnam
& die neger)

keinen schottischen whisky
(biafra)
keinen russischen wodka
(die čssr)
keinen französischen cognac
(oder haben Sie algier vergessen
& suez & den pariser
mai 68)

(neulich stand in der zeitung
selbst auf cuba würden gefangne
politische gegner gefoltert)
nein danke: lieber
keinen zucker:

in meinen chinesischen tee

23.1.8

1. Ergänzen Sie.

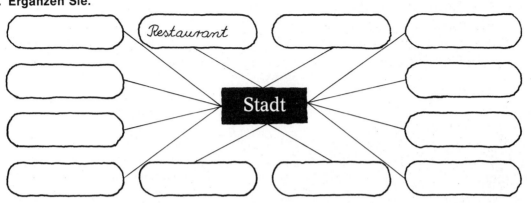

Restaurant

Stadt

2. Was machen die Leute? Schreiben Sie.

arbeiten, aufräumen, ~~aufstehen~~, Briefe schreiben, bedienen, einkaufen, essen, fernsehen, kochen, flirten, fotografieren, Fußball spielen, Musik hören, tanzen, Tischtennis spielen, trinken, schlafen, schwimmen, spazierengehen, lesen

a) *aufstehen* _____ d) _____ g) _____ j) _____

b) _____ e) _____ h) _____ k) _____

c) _____ f) _____ i) _____ l) _____

Lektion 5

m) _____

o) _____

q) _____

s) _____

n) _____

p) _____

r) _____

t) _____

B1
GR

3. Elisabeths Tagesablauf. Schreiben Sie.

Abendbrot essen,	arbeiten gehen,	aufräumen,	~~aufstehen~~,	Mittag essen,
einkaufen,	fernsehen,	Pause machen,		schlafen gehen

a) *Um 7.00 Uhr steht sie auf.*

c) *Um* _____

e) _____

b) _____

d) _____

f) _____

 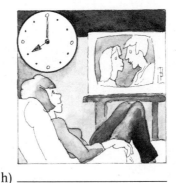 

g) ——————————— h) ——————————— i) ———————————

4. Schreiben Sie.

a) Um 7.00 Uhr aufstehen (Renate) / um 9.00 Uhr aufstehen

○ *Renate steht um 7.00 Uhr auf. Möchtest du auch um 7.00 Uhr aufstehen?*

□ *Nein, ich stehe lieber um 9.00 Uhr auf.*

Ebenso:

b) Tischtennis spielen (Bernd)/Fußball spielen

c) die Küche aufräumen (Juan)/weggehen

d) Musik hören (Carlo)/spazierengehen

e) essen gehen (Robert)/tanzen gehen

f) einkaufen (Levent)/schwimmen gehen

g) fernsehen (Linda)/Tischtennis spielen

5. Schreiben Sie.

erst ◄——————— 12.00 Uhr ———————► schon

Ebenso:

In London ist es
12.00 Uhr mittags.
Wie spät ist
es dann in . . .

c) Buenos Aires (7)?

d) Helsinki (13)?

e) Karatschi (17)?

f) New York (6)?

g) Peking (20)?

h) Hawaii (1)?

i) New Orleans (5)?

j) Wellington (24)?

k) Kairo (14)?

In London (10) ist es 12.00 Uhr.

Wie spät ist es dann in . . .

a) Tokio (22)? *In Tokio ist es dann schon 21.00 Uhr.*

b) Los Angeles (3)? *In Los Angeles ist es dann erst 4.00 Uhr.*

Lektion 5

B1
BD

6. ‚Schon‘, ‚noch‘ oder ‚erst‘? Ergänzen Sie.

a) Um 5.00 Uhr schläft Frieda Still __noch__. Frank Michel steht dann _____ auf. _____ um 9.00 Uhr steht Frieda Still auf.

b) Anne Hinkel geht _____ um 21.00 Uhr schlafen. Dann tanzt Frieda Still _____. Klaus geht _____ um 2.00 Uhr schlafen.

c) _____ um 1.00 Uhr geht Frieda Still schlafen. Klaus Berger trinkt dann _____ Bier. Anne Hinkel und Frank Michel schlafen dann _____.

B1
BD

7. Was stimmt hier nicht? Vergleichen Sie Text und Bild.

a) 10.00 Uhr   e) 14.00 Uhr

b) 11.30 Uhr   f) 16.00 Uhr

c) 12.30 Uhr   g) 22.00 Uhr

d) 13.00 Uhr   h) 1.00 Uhr

An Bord, 28. 6. 83

Lieber Mathias,

die Zeit hier ist nicht sehr schön. Ich stehe schon um 7.00 Uhr auf und gehe morgens auf Deck spazieren. Man kann hier nicht viel machen: nicht schwimmen, nicht Tischtennis spielen, nicht tanzen, man trifft keine Leute, und es gibt auch kein Kino und keinen Nachtclub. Ich esse hier sehr wenig, denn das Essen schmeckt nicht gut. Nachmittags lese ich Bücher oder schreibe Briefe. Abends sehe ich viel fern und gehe schon um 9.00 Uhr schlafen.

Herzliche Grüße
Deine Babsi

Was macht Babsi?
a) Sie steht erst um 10.00 Uhr auf.
b) Sie spielt um ...

Was schreibt Babsi?
Ich stehe schon um 7.00 Uhr auf.
Ich gehe morgens...

Ebenso: c, d, e, f, g, h

Lektion 5

8. Schreiben Sie jetzt den Brief richtig.

An Bord, 28. 6. 83

Lieber Mathias,

die Zeit hier ist phantastisch. Ich stehe
um 10.00 Uhr ...

9. Was paßt zusammen? Bilden Sie Beispielsätze.

B2/3 WS

		a) kochen	b) lernen	c) machen	d) studieren	e) sprechen	f) schreiben	g) lesen	h) hören	i) essen	j) aufräumen	k) gehen	l) treffen	m) spielen	n) trinken	o) suchen
A	Briefe															
B	Chemie															
C	Deutsch															
D	ein Buch															
E	einen Dialog															
F	die Küche															
G	essen															
H	Kaffee	X														
I	Leute															
J	Musik															
K	Peter															
L	tanzen															
M	Betten															
N	schwimmen															
O	Suppe	X														
P	Tischtennis															
Q	einkaufen															
R	ins Kino															

10. Was kann man da machen? Schreiben Sie.

B2/3 WS

a) Restaurant: *essen,* _____
b) Café: _____
c) Sportzentrum: _____

d) Schwimmbad: _____
e) Diskothek: _____
f) Nachtclub: _____

g) Bar: _____
h) Geschäft: _____
i) Bibliothek: _____

Lektion 5

B2/3
WS

11. Wann? Wie lange? Schreiben Sie. Bilden Sie Beispielsätze.

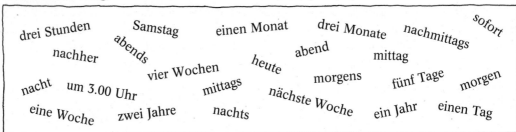

drei Stunden   Samstag   einen Monat   drei Monate   nachmittags   sofort

nachher   abends   abend   mittag

vier Wochen   heute

nacht   um 3.00 Uhr   mittags   morgens   fünf Tage   morgen

eine Woche   zwei Jahre   nachts   nächste Woche   ein Jahr   einen Tag

a)

Wann?	Pause machen Zeit haben arbeiten
Samstag abend	
heute mittag	

b)

Wie lange?	Pause machen Zeit haben arbeiten
drei Stunden	

B2/3
GR

12. Wohin gehen Sie dann? Schreiben Sie.

Sie möchten . . .   Wohin gehen Sie dann?

A	ein Buch kaufen.		1	Pfälzer Weinkeller	
B	vietnamesisch essen.		2	Central Kino	
C	tanzen gehen.		3	„Clochard"	*Ins „Clochard"*
D	ein Bier trinken.		4	Café Hag	
E	Bücher lesen.		5	Buchhandlung Herbst	
F	Tischtennis spielen.		6	Metzgerei Koch	
G	schwimmen gehen.		7	Diskothek Jet Dancing	
H	einen Wein trinken.		8	Restaurant Mekong	
I	einen Kuchen essen.		9	Sportzentrum	
J	Fleisch kaufen.		10	Schwimmbad	
K	einen Film sehen.		11	Stadt-Bibliothek	

B2/3
GR

13. Ihre Grammatik: Ergänzen Sie.

Schwimmbad, Bibliothek, Restaurant, Café, „Clochard", Kino, Buchhandlung, Theater, Konzert, Nachtclub, Weinkeller, Sportzentrum, Bar, Diskothek, Metzgerei

a) DER	b) DAS	c) DIE
a) *in den* _____	b) *ins Restaurant* _____	c) *in die* _____
_____	_____	_____
_____	_____	_____
_____	_____	_____

14. Fragen Sie.

a) <u>Auf Deck 5</u> hören Leute Musik.   *Wo hören Leute Musik?*

b) Frank steht <u>um 5.00 Uhr</u> auf.   _____

c) Auf Deck 10 ist <u>ein Kino</u>.   _____

d) <u>Anne Hinkel</u> ist Krankenschwester.   _____

   Ebenso

e) Um 19.00 Uhr gehen sie <u>ins Theater</u>.

f) Um 6.00 Uhr fängt <u>seine Arbeit</u> an.

g) <u>Eine Stunde</u> möchte er schwimmen.

h) Im „Clochard" kann man <u>Bier</u> trinken.

i) Sie arbeitet <u>40 Stunden</u> pro Woche.

j) Das Kino fängt <u>um 9.00 Uhr</u> an.

k) Sie gehen heute abend <u>ins Kino</u>.

15. Ihre Grammatik: Ergänzen Sie.

Infinitiv	können					essen
ich		muß				
du	kannst					
Sie			fahren			
er, sie, es, man						arbeitet
wir				lesen		
ihr						
Sie						
sie					nehmen	
Imperativ (du)				Lies!		
Imperativ (ihr)						Arbeitet!
Imperativ (Sie)	Fahren Sie!					

16. Ihre Grammatik: Ergänzen Sie.

a) Auf Deck 4 spielen Leute Tischtennis.

b) Schwimmen kann man auf Deck 3.

c) Um 5.00 Uhr muß Frank Michel aufstehen.

d) Um 6.00 Uhr fängt er schon seine Arbeit an.

e) Gehen wir nachher noch essen?

f) Gehen wir nachher noch weg?

g) Kommst du Dienstag mit?

h) Kannst du Dienstag mitkommen?

	Inversions- signal	Subjekt	Verb	Subjekt	Angabe	obligatorische Ergänzung	Verb
a)	Auf Deck 4		spielen	Leute		Tischtennis.	
b)	Schwimmen		kann	man		auf D 3	
c)	Um 5 uhr		muß	FM			aufstehen
d)	Um 6 uhr		fängt	er	schon arbeite		an
e)		wir	gehen	wir	noch essen.		
f)			gehen	wir	nachh noch.		weg
g)			kommst	du	Dienstag		mit
h)			kannst	du	Dienstag		mitkommen

Lektion 5

17. Wie spät ist es? Schreiben Sie die Uhrzeiten.

a)    b)    c)

zehn vor sechs _____ _____

Ebenso:

d)   f)   h)   j)   l)   n)

e)   g)   i)   k)   m)   o)

18. Ergänzen Sie die Dialoge.

a) ○ *Ich möchte mal wieder schwimmen*
     gehen. Kommst du mit?
   □ _____
   ○ *Kannst du morgen abend?*
   □ _____
   ○ *So um halb sieben.*
   □ _____

b) ○ _____
   _____
   □ *In die Discothek? Ja gern. Wann denn?*
   ○ _____
   □ *Freitag abend geht nicht. Da*
     möchte ich fernsehen.
   ○ _____
   □ *Samstag geht gut. Um wieviel Uhr?*
   ○ _____
   □ *Gut, also um acht.*

c) ○ _____
   □ *Nein, ich habe keinen Hunger.*
   ○ *Möchtest du lieber tanzen gehen?*
   □ _____
   ○ _____
   □ *Ins „Clochard"? Das finde ich nicht gut.*

d) ○ *Gehen wir nachher noch weg?*
   □ _____
   ○ *In den Pfälzer Weinkeller, einen Wein trinken.*
   □ _____
   ○ *Wir können auch ins „Clochard" gehen.*
   □ _____
   ○ *Ja, das Essen ist da sehr gut.*
   □ _____

19. ‚Können' oder ‚müssen'? Was paßt?

a) Frau und Herr Werner haben eine Wohnung in Bruchköbel. Sie _müssen_ jeden Monat 1200,– DM Miete bezahlen.

b) Herr Werner _____ jeden Tag nach Frankfurt fahren. Denn er arbeitet in Frankfurt und wohnt in Bruchköbel.

c) Frank Michel ist Kellner. Er _____ um 5.00 Uhr aufstehen.

d) Frieda Still ist Touristin. Sie _____ nicht um 5.00 Uhr aufstehen, sie _____ bis 9.00 Uhr schlafen.

e) Anne Hinkel _____ schon um 7.00 Uhr arbeiten. Frieda Still _____ dann noch schlafen.

f) Frieda Still _____ um 9.00 Uhr aufstehen. Denn man _____ nur bis 10.00 Uhr frühstücken.

g) Im Pfälzer Weinkeller _____ man bis 22.00 Uhr essen.

h) Frau Herbst _____ heute nicht ins Kino gehen. Sie hat Gäste und _____ kochen.

i) Frau Herbst _____ nur mittags einkaufen. Denn vormittags und nachmittags _____ sie arbeiten.

j) Petra _____ die Wohnung in Altona nicht nehmen. Denn 480,– DM _____ sie nicht bezahlen.

20. Was paßt zusammen?

A	Haben Sie heute Zeit?	1	Nein, ich habe keine Lust.
B	Kommst du morgen abend?	2	Nein, noch nicht. Es ist erst Viertel vor acht.
C	Wann haben Sie Zeit?		
D	Geht es um 15.00 Uhr?	3	Nein, aber Dienstag abend.
E	Mußt du Samstag arbeiten?	4	Nein, ich bin satt.
F	Ich möchte essen gehen. Kommst du mit?	5	Nein, da habe ich Deutschkurs.
		6	So um acht.
G	Komm, wir müssen gehen.	7	Ja, gern. Wann denn?
H	Gehen wir nachher noch weg?	8	Ja, vielleicht. Wohin denn?
I	Wann können Sie?	9	Tut mir leid, da habe ich keine Zeit.
		10	Um wieviel Uhr?
		11	Ach ja, richtig.
		12	Samstag nicht, aber Sonntag.

A	B	C	D	E	F	G	H	I
3, 5, 7, 9, 10								

Lektion 5

B2/3
BD

21. ‚Können' hat drei wichtige Bedeutungen: A, B und C.

A

Sie kann nicht Ski fahren.
Sie ist krank.

A

Hier kann sie nicht Ski fah-
ren. Es gibt keinen Schnee.

A

Er hat keine Zeit. Er kann
nicht Ski fahren.

B

Hier kann er nicht Ski fah-
ren. Es ist verboten.

C

Er kann nicht Ski fahren. Er
lernt Ski fahren.

	1	2	3	4	5	6	7	8	9
A	X								
B									
C									

Welche Bedeutung hat ‚können' hier?

1

Hier kann man nicht
schwimmen.

4

Hier kann man nicht gehen.

7

Sie kann nicht ins Kino
gehen.

2

Er kann nicht schwimmen.

5

Er kann nicht schreiben.

8

Es kann noch nicht gehen.

3

Hier kann sie nicht parken.

6

Sie kann nicht schwimmen.

9

Hier kann man essen.

50

Können Sie

faulenzen?

Sehr viele Leute können nicht mehr faulenzen, d. h. nichts tun. Denn Freizeit heißt meistens Aktivität: tanzen, schwimmen, Tischtennis spielen, Musik machen, Leute treffen… Wer nicht mitmacht, ist langweilig und hat wenig Freunde.

Wir arbeiten nur noch 212 Tage im Jahr, aber wir sind trotzdem nicht faul. Denn in der Freizeit machen wir immer etwas. Viele Leute haben Hobbys, und die kosten oft viel Zeit und Arbeit. Und die Freizeitindustrie hat immer neue Angebote. Die Mediziner sprechen deshalb schon von „Freizeit-Streß".

Können Sie in der Freizeit noch faulenzen, oder ist Freizeit für Sie auch schon „Streß"? Testen Sie sich!

Für jede Frage gibt es vier Antworten. Welche Antwort ist für Sie richtig?

Frage 1

Es ist Samstag, und Sie müssen einkaufen, die Wohnung aufräumen und Briefe schreiben. Aber Sie haben keine Lust. Was machen Sie?

A ☐ Nichts.
B ☐ Ich höre Musik.
C ☐ Ich gehe spazieren.
D ☐ Ich lese ein Buch.

Frage 2

Haben Sie schnell Langeweile?

A ☐ Ja.
B ☐ Manchmal.
C ☐ Nein.
D ☐ Ich weiß nicht.

Frage 3

Sie sind ein neues Mitglied in einem Klub für faule Freizeit. Dienstag und Donnerstag ist Training im Klubhaus, 5 km von der Stadt entfernt. Es gibt dort keine Bücher, keine Musik, keine Bar, kein Fernsehen, nur sehr bequeme Sessel. Aber dienstags und freitags ist keiner da. Warum?

A ☐ Der Klub ist noch neu.
B ☐ Der Klub ist langweilig.
C ☐ Die Fahrt ist zu weit.
D ☐ Das Freizeitangebot ist schlecht.

Frage 4

Man sagt, Deutsche haben viel Freizeit, aber immer tun Sie etwas. Sie machen Sport, haben Hobbys, gehen schwimmen und und und… Ist das ein Fehler?

A ☐ Ich weiß nicht.
B ☐ Ja.
C ☐ Kein Fehler, aber auch nicht gut.
D ☐ Nein.

Frage 5

Sie haben Mittagspause und gehen in die Kantine. Dort möchten heute sehr viele Menschen essen, und Sie müssen eine Stunde warten. Was machen Sie?

A ☐ Sie warten nicht und gehen in ein Restaurant.
B ☐ Sie warten und machen eine Pause.
C ☐ Sie warten nicht, denn Sie möchten lieber arbeiten.
D ☐ Sie warten und sprechen mit einem Kollegen über die Arbeit.

Frage 6

Sie möchten am Wochenende nichts tun, aber Ihre Freunde möchten tanzen gehen. Gehen Sie mit?

A ☐ Ja, denn ich möchte nicht allein sein.
B ☐ Ich weiß nicht.
C ☐ Nein.
D ☐ Manchmal ja, manchmal nein.

Lösung

Frage	Antwort A	B	C	D
1	10	7	4	1
2	1	4	10	7
3	7	4	10	1
4	4	10	7	1
5	7	10	1	4
6	1	4	10	7

Bewertung

46–60 Punkte: Freizeit bedeutet für Sie nur faulenzen. Sie sind ein Faulenzergenie.

31–46 Punkte: Sie sind fast ein Faulenzergenie, aber Sie brauchen manchmal auch Freizeitaktivitäten.

16–31 Punkte: Sie müssen in der Freizeit immer etwas tun. Manchmal können Sie aber auch faul sein. Leider zu wenig.

bis 15 Punkte: Sie finden, Faulenzen ist ein großer Fehler. Sie sind zu nervös und müssen noch faulenzen lernen.

Brigitte
Schreiber

Tausende suchen heute eine Arbeit. Viele andere Menschen aber, besonders Frauen mit Kindern, wollen nicht jeden Tag acht Stunden arbeiten. Ist **Job-sharing** eine Antwort auf dieses Problem? Die Gewerkschaften meinen „nein", die Arbeitgeber sagen „ja".

Ein Arbeitsplatz für zwei

Weniger arbeiten, mehr Zeit für Familie, Kinder, Hobbys und Weiterbildung. Das, so weiß man aus Umfragen, möchten viele Deutsche. Sie möchten nur drei bis vier Tage pro Woche oder 4 bis 5 Stunden pro Tag arbeiten. Es gibt aber nicht genug Teilzeitstellen.

Eine Alternative ist das „Job-sharing". Es kommt aus Amerika und funktioniert so: Zwei oder mehr Arbeitnehmer teilen sich eine Arbeitsstelle und natürlich auch das Gehalt. Sie verdienen weniger, haben aber mehr Zeit.

Die Arbeitgeber finden „Job-sharing" gut. Denn „Job-sharing" bedeutet für sie: zwei oder mehr Arbeitnehmer für eine Stelle. Ist einer krank, oder hat er Urlaub, dann muß der andere die Arbeit machen.

Das aber ist der kritische Punkt: Muß der eine Kollege die Arbeit für den kranken Kollegen machen? Die Gewerkschaften sagen ‚nein'. Denn die Arbeitgeber müssen für kranke Arbeitnehmer keine neuen Leute einstellen. Das bedeutet, es gibt noch mehr Arbeitslose. Die Arbeitgeber sind anderer Meinung. „Durch „Jobsharing" bekommen viele Arbeitslose, vor allem Hausfrauen, wieder eine Stelle", sagen sie. Die Gewerkschaften und die Arbeitgeber müssen hier schnell einen Kompromiß finden.

Gleiches Recht für alle

Von Marie Marcks

Mutter muß arbeiten.

Was meinen Kinder dazu?

Meine Mutter arbeitet viel,
aber das mag ich gar nicht.
Ich habe meine Mutter sehr lieb,
und ich möchte, daß sie
immer zu Hause ist.

Alde (Schweiz), 10 Jahre

Manchmal möchte ich, daß meine Mutter nicht
arbeitet. Zum Beispiel, wenn ich Geburtstag habe.
aber sonst ist es gut, daß meine Mutter arbeitet.
Dann haben wir viel Geld und können jedes
Jahr Urlaub machen.

Franz, (Österreich), 12 Jahre

Meine Mutter arbeitet mit meinem Vater im Büro.
Das finde ich gut, denn dann kann sie meinem Vater
helfen. Er ist dann abends nicht so müde. Auch die
Hausarbeit machen Sie zusammen ...

Alexandra (Bundesrepublik), 9 Jahre

Lektion 6

B1/2
WS

1. Ergänzen Sie.

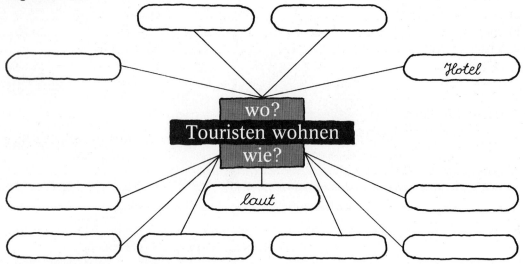

B1/2
WS

2. Was paßt?

a) Auto: _bequem, schnell,_ _____   Wein: _sauer,_ _____

  Wohnung: _____   Leute: _____

  Kuchen: _____   Suppe: _____

  Fleisch: _____   Buch: _____

  Hotel: _____   Café: _____

  Möbel: _____   Arbeit: _____

b)

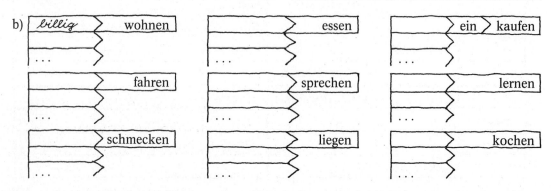

54

3. Ergänzen Sie.

a) neu – _alt_   f) schön – _____   k) hell – _____

b) billig – _____   g) bequem – _____   l) sauer – _____

c) kalt – _____   h) modern – _____   m) gemütlich – _____

d) schnell – _____   i) laut – _____   n) schlecht – _____

e) frisch – _____   j) groß – _____   o) praktisch – _____

4. Bilden Sie Sätze.

a) | teuer > sein | Schloßhotel (630 Schilling) – Pension Hofmann (200 Schilling) – Forellenhof (160 Schilling)

Die Pension Hofmann ist teurer als der Forellenhof,
aber am teuersten ist das Schloßhotel.

Ebenso:

b) | zentral > liegen | Schloßhotel (im Zentrum) – Pension Hofmann (1 km zum Zentrum) – Campingplatz (3 km zum Zentrum)

c) | groß > sein | Hamburg (1 698 615) – Bonn (283 156) – Frankfurt (631 400)

d) | alt > sein | Universität Prag (1348) – Universität Straßburg (1621) – Universität Berlin (1809)

e) | teuer > sein | Hähnchen (+) – Kotelett (++) – Steak (+++) (+ = teuer)

f) | schwimmen > können | Veronika (+) – Marion (++) – Julia (+++) (+ = schnell)

g) | tanzen ... > mögen | Monika: tanzen (+) – ins Kino gehen (++) – Freunde treffen (+++) (+ = gern)

h) | Deutsch > sprechen | Linda (+) – Lucienne (++) – Yasmin (+++) (+ = gut)

i) | schön > wohnen | Bernd (+) – Thomas (++) – Jochen (+++) (+ = schön)

5. Ihre Grammtik: Ergänzen Sie.

bequem	bequemer	am bequemsten		wärmer	
		am ruhigsten	kurz		
klein					am kältesten
	zentraler		alt		
		am gemütlichsten			am größten
		am weitesten	teuer		
neu				besser	
laut			gern		
	schlechter				am meisten

Lektion 6

B1/2
GR

6. Nehmen Sie die Pension Fraunhofer oder das Hotel Bellevue? Warum?

5 Einzelzimmer	à 25,– DM		10 Einzelzimmer	à 40,– DM
4 Doppelzimmer	à 50,– DM		25 Doppelzimmer	à 65,– DM

1937 gebaut	1980 gebaut

Zimmer ohne Bad und Dusche	Zimmer mit Bad und Dusche
ohne Balkon	mit Balkon
ohne Telefon	ohne Telefon und Fernseher
kein Lift	Lift
keine Garage	Garage

im Zentrum	im Wald (7 km zum Zentrum)
U-Bahn-Station 1 Minute	Bushaltestelle 1 km

a) Ich nehme die Pension Fraunhofer. Warum? *Sie ist … als …*

Sie …

b) Ich nehme das Hotel Bellevue. Warum? *Es ist … als …*

B1/2
GR

7. Ergänzen Sie.

wohin?	fahren gehen steigen

an d … auf d … in d … nach …	fahren gehen steigen

a) das Kino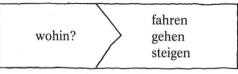

Ebenso:

b) das Theater   g) der Atlantik   l) die Nordsee   q) Linz

c) der Vesuv   h) das Ruhrgebiet   m) das Café   r) die Berge

d) das Gebirge   i) Tokio   n) der Nanga Parbat   s) Japan

e) der Rhein   j) die Mosel   o) die Dolomiten   t) der Bodensee

f) die Türkei   k) Österreich   p) die Diskothek   u) die Alpen

8. Bilden Sie Sätze.

B1/2
GR

a) bergsteigen (ich) – Alpen

○ *Ich möchte gern bergsteigen.*

□ *Fahr doch in die Alpen, da kann man gut bergsteigen.*

Ebenso:

b) schwimmen (ich) – Mittelmeer

c) wandern (wir) – Harz

d) spazierengehen (wir) – Stadtpark

e) Englisch lernen (ich) – London

f) baden (wir) – Nordsee

g) radfahren (wir) – Dänemark

h) segeln (ich) – Bodensee

i) essen gehen (wir) – China Restaurant Nanking

j) tanzen gehen (ich) – Diskothek Jet Dancing

k) Kuchen essen (ich) – Café Hag

l) Ski laufen (wir) – Dolomiten

m) Wein trinken gehen (wir) – Pfälzer Weinkeller

9. Bilden Sie Sätze.

B1/2
GR

a) ○ | Wo? > Urlaub > machen | ○ *Wo machen Sie dieses Jahr Urlaub?*

b) □ | an die Ostsee > fahren > mögen | □ *Ich möchte* ___

c) ○ | Warum (nicht) > an die Nordsee > fahren | ○ ___ *?*

d) □ | schöner > sein | □ *Die Ostsee* ___

| Wohin? > fahren | *Und wohin* ___ *?*

e) ○ | in die Schweiz > fahren | ○ ___

Ihre Grammatik: Ergänzen Sie.

	Inversions-signal	Subjekt	Verb	Subjekt	Angabe	obligatorische Ergänzung	Verb
a	*Wo*		*machen*	*Sie*	*dieses Jahr*	*Urlaub?*	
b							
c							
d							
e							

10. Welche Antwort paßt?

B1/2
BD

a) *Können Sie etwas empfehlen?*

Ⓐ Ja, ein Zimmer ist frei.

Ⓑ Nein, das ist zu teuer.

Ⓒ Ja, die Pension Fraunhofer.

b) *Kann man da auch essen?*

Ⓐ Nein, es gibt kein Restaurant.

Ⓑ Ja, mit Frühstück.

Ⓒ Nein, ohne Abendbrot.

c) *Wie weit ist es zum Zentrum?*

Ⓐ Nicht sehr laut.

Ⓑ Nur 1 km.

Ⓒ Sehr zentral.

d) *Liegt die Pension ruhig?*

Ⓐ Es geht.

Ⓑ Nein, sehr schlecht.

Ⓒ Ja, sehr schön.

Lektion 6

B1/2
BD

11. Was paßt zusammen?

A	Was kostet das Zimmer?	1	Die Pension Oase ist ganz gut.
B	Liegt die Pension zentral?	2	Ja, aber zum Zentrum sind es 5 km.
C	Können Sie eine Pension empfehlen?	3	Nur 2 Minuten.
D	Liegt das Hotel ruhig?	4	Nein, es ist ohne Telefon.
E	Wie weit ist es ins Zentrum?	5	Ja, es gibt ein Restaurant.
F	Hat das Zimmer Telefon?	6	350 Schilling.
G	Gibt es Garagen?	7	Nur eine Dusche.
H	Ist der Preis mit oder ohne Frühstück?	8	Ja, fünf Stück.
I	Kann man im Hotel auch essen?	9	Ja, direkt im Zentrum.
J	Hat das Zimmer Bad oder Dusche?	10	Mit natürlich.

A	B	C	D	E	F	G	H	I	J
6									

B1/2
BD

12. Schreiben Sie einen Dialog.

Sie suchen in Linz ein Zimmer und gehen in die Tourist-Information.
Sie möchten einige Informationen und fragen.

Wie weit?	Bad?	laut?	Garage?	Privatzimmer?	billig?	Radio?
Verkehrsverbindungen?		Hotel?	teuer?	Pension?	Restaurant?	
Dusche?	Parkplätze?	Telefon?	zentral?	Fernsehen?	Zimmer frei?	

O *Guten Tag. Wir suchen in Linz ein Zimmer.*
□ _____
O ...

58

Lektion 6

13. Ergänzen Sie.

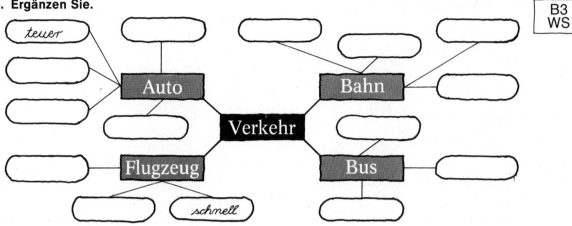

teuer ... Auto ... Verkehr ... Bahn ... Flugzeug ... Bus ... schnell

14. Bilden Sie Wörter.

Auto – Auto – Bahn – bahn – bahn – bindungen – ~~city~~ – Eisen – fah– fah – fahrt – fahrt –
flie – Flug – gen – gen – hafen – ~~Inter~~ – Ma – ren – ren – schine – stei – um – ver – Zug –

a) Bahn	b) Auto	c) Flugzeug
Intercity,		

15. Was paßt zusammen?

		a) fliegen	b) umsteigen	c) ankommen	d) fahren	e) steigen	f) liegen	g) empfehlen	h) dauern	i) suchen	j) abfahren	k) machen	l) mieten	m) nehmen
A	ein Hotelzimmer							X		X				X
B	Urlaub													
C	eine Pension													
D	den Zug													
E	ein Auto													
F	um 12.00 Uhr													
G	Bahn													
H	in Frankfurt													
I	auf Gleis 5													
J	einen Tag													
K	nach Toronto													
L	eine Wohnung													
M	schön													
N	auf den Mt. Blanc													

Lektion 6

B3
WS

16. Was paßt wo? Bilden Sie Beispielsätze.

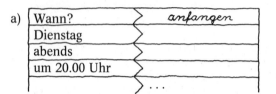

schlafen gehen   Freunde treffen   aufstehen   schlafen   arbeiten gehen   Zeit haben   ankommen
kommen   dauern   anfangen   arbeiten

a)
Wann?	>	*anfangen*
Dienstag	>	
abends	>	
um 20.00 Uhr	>	...

b)
Wie lange?	>	*arbeiten*
zwei Tage	>	
lange	>	
8 Stunden	>	...

B3
BD

17. Welche Reise nehmen Sie? Warum?

Urlaub am Mittelmeer in Toulon (ab Düsseldorf)

Busreise	Bahnreise	Flugreise
14 Stunden Fahrt	16 Stunden Fahrt	90 Minuten Flug
Pension im Zentrum	Appartement mit Bad	Hotel direkt am Strand
20 Min. zum Strand	und Küche	Zimmer mit Bad,
Zimmer ohne Dusche	3 Min. zum Strand	Telefon und Balkon
Etagendusche	kein Service	
1 Woche DM 498,–	1 Woche DM 956,–	1 Woche DM 1112,–

Schreiben Sie:
a) Ich nehme die Busreise. *Die Busreise ist ... Die Pension liegt ...*
b) Ich nehme die Bahnreise. _____
c) Ich nehme die Flugreise. _____

B3
GR

18. Ergänzen Sie.

a) Welch__er__ Zug fährt nach Bonn? __Der__ um 8.20 Uhr.
b) Welch_____ Flugzeug nehmt ihr? _____ um 10.45 Uhr.
c) Welch_____ S-Bahn fährt nach Erding? _____ Linie 6.
d) Welch_____ Pension nehmen Sie? _____ mit Frühstück.
e) Welch_____ Gasthof finden Sie am ruhigsten? _____ am Wald.
f) Welch_____ Hotel liegt am günstigsten? _____ im Zentrum.
g) Welch_____ Zimmer nimmst du? _____ mit Balkon.
h) Welch_____ Flug empfehlen Sie? _____ um 6.35 Uhr.
i) Welch_____ Maschine hat Verspätung? _____ aus London.

B3
BD

19. Was können Sie auch sagen?

a) *Ist noch ein Doppelzimmer frei?*
   Ⓐ Haben Sie noch ein Doppelzimmer frei?
   Ⓑ Wo ist noch ein Doppelzimmer frei?
   Ⓒ Haben Sie auch Doppelzimmer?

b) *Kann man im Hotel essen?*
   Ⓐ Gibt es im Hotel ein Restaurant?
   Ⓑ Ist im Hotel eine Bar?
   Ⓒ Ist das Restaurant im Hotel gut?

60

c) *Wie weit ist es von Kiel nach Bonn?*
   Ⓐ Wieviel Kilometer sind es von Kiel nach Bonn?
   Ⓑ Wie kommt man von Kiel nach Bonn?
   Ⓒ Ist es von Kiel nach Bonn weit?

d) *Wie lange dauert der Flug nach Bremen?*
   Ⓐ Wie lange dauert der Flug nach Bremen denn noch?
   Ⓑ Dauert die Fahrt nach Bremen lange?
   Ⓒ Wie lange fliegt man nach Bremen?

e) *Der Zug kommt um 13.00 Uhr in Hamburg an.*
   Ⓐ Der Zug fährt um 13.00 Uhr nach Hamburg.
   Ⓑ Der Zug ist um 13.00 Uhr in Hamburg.
   Ⓒ Der Zug kommt um 13.00 Uhr aus Hamburg.

f) *Ist das Hotel im Zentrum?*
   Ⓐ Wie lange geht man ins Zentrum?
   Ⓑ Liegt das Hotel schön?
   Ⓒ Liegt das Hotel zentral?

g) *Ist das Zimmer mit Frühstück?*
   Ⓐ Was kostet das Frühstück?
   Ⓑ Muß man das Frühstück extra bezahlen?
   Ⓒ Wieviel kostet das Zimmer mit Frühstück?

h) *Die Bahnfahrt ist kompliziert.*
   Ⓐ Die Bahnfahrt dauert lange.
   Ⓑ Die Bahnfahrt ist teuer.
   Ⓒ Die Bahnfahrt ist nicht sehr einfach.

i) *Wo fährt der Zug nach Bern ab?*
   Ⓐ Der Zug nach Bern. Welches Gleis bitte?
   Ⓑ Wann fährt der Zug nach Bern bitte?
   Ⓒ Wo ist das Gleis in Bern bitte?

j) *Kann ich ein Zimmer mit Bad haben?*
   Ⓐ Kann ich ein Zimmer mit Bad nehmen?
   Ⓑ Kann ich ein Zimmer mit Bad mieten?
   Ⓒ Kann ich ein Zimmer mit Bad bekommen?

20. Welche Antwort paßt?

a) *Wann ungefähr?*
   Ⓐ Am Abend, nicht zu spät.
   Ⓑ Um 16.23 Uhr.
   Ⓒ Dienstag nicht.

b) *Welche Maschine ist am günstigsten?*
   Ⓐ Das Auto ist besser.
   Ⓑ Die um 15.30 Uhr.
   Ⓒ Nimm doch den Zug um 15.30 Uhr.

c) *Wie lange dauert die Fahrt?*
   Ⓐ Zwei Uhr.
   Ⓑ Um zwei Uhr.
   Ⓒ Zwei Stunden.

d) *Wo fährt der Zug ab?*
   Ⓐ Nach Hamburg.
   Ⓑ Von Hamburg nach Kiel.
   Ⓒ Gleis sieben.

e) *Wohin fahren Sie?*
   Ⓐ Ich nehme den Zug.
   Ⓑ Nach Rom.
   Ⓒ Gleis neun.

f) *Müssen Sie umsteigen?*
   Ⓐ Ja, von Münster nach Bremen.
   Ⓑ Ja, in Wien.
   Ⓒ Ja, der Zug hat Verspätung.

g) *Welche Maschine nimmst du?*
   Ⓐ Die um 17.00 Uhr.
   Ⓑ Das Flugzeug.
   Ⓒ Die Maschine fliegt um 17.00 Uhr.

h) *Hat der Zug Verspätung?*
   Ⓐ Ja, aber nicht viel.
   Ⓑ Ja, um 16.00 Uhr.
   Ⓒ Ja, er kommt spät.

B3
BD

Lektion 6

21. Schreiben Sie einen Dialog.

Sie möchten nach London fahren, aber sie wissen noch nicht wie.

Sie gehen in ein Reisebüro und möchten Informationen haben.

Schreiben Sie einen Dialog. Die folgenden Sätze sind nur Beispiele. Sie müssen auch selbst Sätze bilden.

Zug						
hin	(jeden Tag)			zurück	(jeden Tag)	
München ab:	23.00	15.33	10.15	London ab:	22.07	16.46	9.58
London an:	18.05	11.27	5.56	München an:	18.11	13.39	6.37
DM 308,– (einfach)				DM 616,– (hin und zürück)		

Bus						
hin	Fr	Mo	Mi	zurück	So	Di	Do
München ab:	5.00	23.00	23.00	London ab:	13.00	14.00	23.00
London an:	22.00	16.00	16.00	München an:	7.00	8.00	17.00
DM 160,– (einfach)				DM 320,– (hin und zurück)		

Linienflug						
hin	(jeden Tag)			zurück	(jeden Tag)	
München ab:	13.15	17.00	18.10	London ab:	9.40	13.30	19.50
London an:	14.05	17.50	18.55	München an:	12.25	16.15	22.25
DM 550,– (einfach)				DM 1056,– (hin und zurück)		

Charterflug					
hin	Fr	Mo	zurück	Mo	Fr
München ab:	20.50	20.50	London ab:	20.30	20.30
London an:	21.40	21.40	München an:	23.15	23.15
DM 340,– (nur hin und zurück)					

Geht das? · · ·   Wann kann man fliegen/fahren?   Wie lange dauert . . .?   Haben Sie Prospekte?

Gibt es auch Charterflüge?   Man kann nur Freitag/. . . fliegen.

Hin und zurück?   Ich muß am/um . . . in London sein.   Am Montag/ . . .

Wie teuer ist . . .?   Ich möchte . . .   Das geht (nicht).

Wann möchten Sie zurückfliegen?   Wann fährt . . .?   Wann möchten Sie fahren?

Welcher Zug/Bus/Flug ist am günstigsten?   Das ist bequemer/schneller . . .

○ *Guten Tag, ich möchte . . .*

□ _____

○ . . .

62

Eine nicht sehr ernste Touristen-
Typologie von Wolfgang Ebert

Am besten kennen Reiseleiter die Touristen:
viele sind angenehm,
manche sehr angenehm.
Aber es gibt auch Problemtypen...

Pechvögel, Nörgler, Alleswisser und tolle Hechte

Typ A: Der Nörgler. Er ist immer unzufrieden. Er möchte alles besser, schöner, billiger. Regen in Marokko? Nein, das mag er nicht, dafür hat er seine 698,– DM nicht bezahlt! Das Hotel ist immer zu groß, zu modern, zu alt, zu klein oder zu laut. Oder das Essen: zu kalt, zu heiß, zu scharf oder zu teuer. In Griechenland findet er das griechische Essen schlechter als in der Bundesrepublik: „Das ist doch kein Stifado! Bei uns in Peine schmeckt das viel besser." In Thailand möchte er Streuselkuchen bestellen, aber leider sprechen die Thais kein Deutsch – und darüber kann er wieder nörgeln: „Wir bringen den Leuten ja unsere gute Mark ins Land."

Typ B: Der Pechvogel. Es gibt ihn in allen Reisegruppen. Sein Pech fängt schon gleich am Flughafen an: Er trifft seine Reisegruppe nicht, und alle müssen deshalb zwei Stunden warten. In Athen ist dann sein Koffer weg; der fliegt schon in einem anderen Flugzeug nach London. Der Pechvogel verliert immer etwas: erst das Flugticket, dann die Kamera, den Paß und das Geld. Auch im Hotel hat er meistens Pech. Sein Zimmer ist natürlich direkt neben dem Lift, und er kann die ganze Nacht nicht schlafen. Die Toilettentür funktioniert nicht richtig, und er muß zwei Stunden auf einen Mechaniker warten – am Sonntag. In China bekommt der Pechvogel plötzlich Zahnschmerzen, und er muß allein nach Hause fliegen.

Typ C: Der Alleswisser. Er kennt im Urlaubsland alle Straßen, alle Kirchen, alle Städte, alle Theater, alle Restaurants... Denn schon seit zehn Jahren macht er immer hier Urlaub. Natürlich kennt er den Baedeker sehr gut und weiß deshalb alles besser als der Reiseleiter: „Das ist ein Schloß von Ludwig dem Vierzehnten, nicht von Ludwig dem Sechzehnten." „Die Kirche hier ist nicht 812 Jahre alt, erst 685!" Im Reisebus ist er gern vorn neben dem Fahrer und gibt Ratschläge: „Fahren Sie doch da vorne durch die kleine Straße links, dann sehen wir rechts noch einmal die Mustafah-Moschee aus dem fünfzehnten Jahrhundert..." Den Typ C mögen die Reiseleiter am wenigsten.

Typ D: Der tolle Hecht. Er sitzt abends immer in der Hotelbar und trinkt sehr viel. Um Mitternacht ist er dann meistens betrunken, singt deutsche Lieder und spricht sehr laut. Natürlich ist der tolle Hecht nicht verheiratet, und er flirtet sehr gern. Alle Frauen im Hotel, vor allem die Barfrauen, die Kellnerinnen und die Zimmermädchen, kennen ihn sehr gut. Pünktlich ist der tolle Hecht nie. Fährt der Bus um neun Uhr ab, dann kommt er bestimmt erst um zehn. Die ganze Reisegruppe muß dann natürlich warten, und in der nächsten Stadt muß man ohne Pause durchfahren und kann deshalb die Kathedrale nicht fotografieren. Aber es ist komisch: Alle mögen ihn, niemand ist wirklich böse.

Reisekiste
Tips für Ferien und Freizeit

Haustausch

Man muß im Urlaub nicht nur in Hotels oder Pensionen wohnen. Es geht auch anders. Das zeigen die Familien Carlisle aus Inverness in Schottland und Kahlert aus Passau. Sie tauschen jedes Jahr ihre Wohnungen: Familie Kahlert macht in Schottland Urlaub und Familie Carlisle fährt nach Passau. Der Urlaub ist so billiger: Die Familien müssen nur die Autofahrt und zwei oder drei Wochen Essen und Trin-

Tauschpartner Kahlert und Carlisle.

ken bezahlen. Für Familie Kahlert kostet der Urlaub für 4 Personen nur 1.800 Mark.
Eine Wohnung ist viel bequemer als ein Hotelzimmer, und Kinder und Eltern haben viel mehr Platz. Oft haben die Häuser auch einen Garten. Ist das Wetter schlecht, dann kann man in einer Wohnung gemütlicher leben als im Hotel.

Haustausch-Adressen:
Auch Sie können Ihre Wohnung, Ihr Appartement oder Ihr Haus tauschen. Die Firmen Intervac, Verdiweg 8, 7021 Musberg und Holiday Service, Fischback, 8640 Kronach, vermitteln Tauschpartner. Die Angebotskataloge kosten bei Intervac etwa 35 Mark und beim Holiday Service 55 Mark.

Buchtip

Reisen, das große Abenteuer

Abenteuerreisen sind populär. Immer mehr Menschen in der Bundesrepublik möchten keinen Massenurlaub mehr machen, sondern lieber in noch wenig bekannte Gebiete reisen, z.B. in die Sahara, nach Alaska oder an den Amazonas in Südamerika. Aber auch die Abenteuerreisen sind schon organisiert: Die Reisebüros bieten Abenteuer-Gruppenreisen in die Wüste, in den Urwald oder ins Gebirge an. Aber ein echter Globetrotter fährt lieber allein. Das ist nicht billiger, aber interessanter. Eine Abenteuerreise allein oder zu zweit muß man aber gut planen. Viele praktische Tips und gute Adressen für Globetrotter gibt es im „Handbuch Abenteuerreisen" (Arena Verlag). Es kostet 24,– Mark.

Camping

Neuer Campingführer

Wissen Sie das? In der Bundesrepublik gibt es 2100 Campingplätze. Und das ist gut so. Denn

immer mehr Leute möchten im Urlaub Camping machen. Hotels und Pensionen finden Sie zu unbequem: Man muß bis 10.00 Uhr frühstücken, man muß ruhig sein, man muß um 19.00 Uhr Abendbrot essen, man muß… Camping-Urlaub ist viel unkomplizierter, billiger und man lernt schneller Leute kennen.
Die Preise für Campingplätze in der Bundesrepublik sind dieses Jahr nicht teurer als letztes Jahr. In Bayern und Baden-Württemberg sind sie sogar billiger: 20 Tage kosten dort ab 70,– Mark.
Einen Campingplatz muß man nicht lange suchen. 7000 Adressen aus ganz Europa (davon (1700 aus der Bundesrepublik) finden Sie im neuen Campingführer des „Deutschen Camping-Clubs e. v.". Sie bekommen den Führer in Buchhandlungen oder Sportgeschäften oder direkt beim Deutschen Camping-Club e. V., Mandlstraße 28, 8000 München 40.

Hobby

Im Urlaub kochen lernen

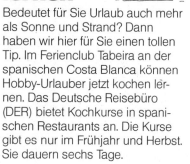

Bedeutet für Sie Urlaub auch mehr als Sonne und Strand? Dann haben wir hier für Sie einen tollen Tip. Im Ferienclub Tabeira an der spanischen Costa Blanca können Hobby-Urlauber jetzt kochen lernen. Das Deutsche Reisebüro (DER) bietet Kochkurse in spanischen Restaurants an. Die Kurse gibt es nur im Frühjahr und Herbst. Sie dauern sechs Tage.

Lektion 7

B1/2
WS

1. Ergänzen Sie.

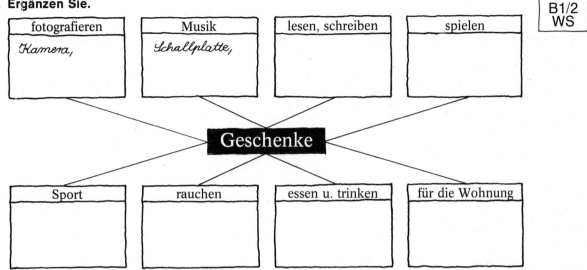

fotografieren	Musik	lesen, schreiben	spielen
Kamera,	*Schallplatte,*		

Geschenke

Sport	rauchen	essen u. trinken	für die Wohnung

2. Bilden Sie Sätze.

B1/2
GR

Familie Kurz

a)

Mutter
45 Jahre
hört gern Musik
raucht viel
reist gern

Feuerzeug,
Schallplatte,
Reisetasche

*Ihr kann man eine Schallplatte
schenken.
Denn sie hört gern Musik.*

*Sie hört gern Musik.
Deshalb kann man ihr eine
Schallplatte schenken.*

Ihr kann man ein Feuerzeug schenken.   *Denn ...*
Sie raucht ...   *Deshalb ...*
Ihr ...

Ebenso:

b)

Vater
50 Jahre
spielt Fußball
kocht gern
Hobby-Fotograf

Fußball,
Kochbuch,
Kamera

c)

Tochter
18 Jahre
schreibt gern Briefe
lernt Spanisch
fährt gern Ski

Briefpapier,
Wörterbuch,
Skier

Lektion 7

3. Schreiben Sie.

wem?	was?	kaufen schenken mitbringen
ihm	*eine Kassette*	
		kaufen schenken mitbringen

a) Carlo / Kassette
b) Frau May / Reisetasche
c) Herr und Frau B. / Fernseher
d) Gina / Fotoapparat
e) ich / Kochbuch
f) ihr / Autoradio
g) du / Fahrrad
h) wir / Blumen
i) Kinder / Fußball
j) Sie / Lampe

4. Ihre Grammatik: Ergänzen Sie.

			Singular			Plural
Nominativ wer?	ich	du Sie	er (Carlo) sie (Frau May) es	wir	ihr Sie	sie (Herr und Frau Kurz)
Dativ wem?	*mir*					

5. Ergänzen Sie.

○ Guten Tag. Kann ich ___*Ihnen*___ ___*helfen*___?
□ Ja, ich suche eine Bürolampe. Können Sie _____ welche _____?
○ Gern, hier habe ich eine zu 48 DM. Die kann ich _____ sehr _____. Die ist sehr günstig.
□ Ja, die ist ganz praktisch, aber sie _____ _____ nicht.
○ Und die hier? Wie _____ _____ die?
□ Ganz gut. Was kostet die denn?
○ 65,– DM.
□ Das _____ _____ zu teuer.
○ Wir haben hier noch eine zu 37,– DM.
□ Die finde ich ganz schön. Dic nehme ich. Können Sie _____ die Lampe _____?
○ Ja, natürlich.

6. ‚Wer', ‚Was', ‚Wen', ‚Wem', ‚Wie', ‚Wann'? Fragen Sie.

a) Das Bild gefällt mir gut. *Wie gefällt dir / Ihnen das Bild?*
b) Wir schenken Karla einen Plattenspieler.
c) Birgit hört gern Musik.
d) Gerd kauft ihm einen Kugelschreiber.
e) Gina sucht Yvonne.
f) Yussef hat morgen Geburtstag.
g) Der Film ist langweilig.

7. Lesen Sie und unterstreichen Sie.

B1/2
GR

Wer? _____ Wem? ﹏﹏ Was? _ _ _ _ _

a) <u>Die Buchhändlerin</u> zeigt <u>ihnen</u>
   <u>Wörterbücher.</u>
b) Die Kassetten bringe ich ihnen morgen mit.
c) Erklären Sie mir doch bitte die Maschine.

d) Er kauft ihm deshalb eine Kamera.
e) Eine Schallplatte kann man ihr
   schenken.
f) Ihm kannst du ein Radio schenken.

Ihre Grammatik: Ergänzen Sie.

	Inversions-signal	Subjekt	Verb	Subjekt	unbetonte Ergänzung	Angabe	obligatorische Ergänzung	Verb
a		Die Buchhändlerin	zeigt		ihnen		Wörterbücher.	
b								
c								
d								
e								
f								

8. Ihre Grammatik.

B1/2
GR

a) ○ Kauf ihm doch *einen Plattenspieler*. Er hat noch *keinen*.
   □ Doch, er hat schon *einen*, und *einer* ist doch genug.
b) ○ Kauf ihm doch *eine Kamera!* Er hat noch *keine*.
   □ Doch, er hat schon *eine*, und *eine* ist doch wirklich genug.
c) ○ Kauf ihm doch *ein Radio!* Er hat noch *keins*.
   □ Doch, er hat schon eins, und eins ist doch wirklich genug.
d) ○ Kauf ihm doch *Kassetten* von Louis Armstrong! Er hat noch *keine*.
   □ Doch er hat schon *welche*.

Ergänzen Sie.

		Nominativ		Akkusativ	
		indefiniter Artikel + Nomen	Indefinit-pronomen	indefiniter Artikel + Nomen	Indefinit-pronomen
a)	Maskulinum Singular (der)	ein / kein Plattenspieler	einer / keiner	einen / keinen Plattenspieler	einen / keinen
b)	Femininum Singular (die)	eine / keine Kamera			
c)	Neutrum Singular (das)	ein / kein Radio			
d)	Plural (die)	Kassetten / keine Kassetten			

Lektion 7

B1/2
GR

9. Schreiben Sie.

a) ○ *Möchtest du noch einen Apfel?* ○ *Ich möchte noch einen Apfel.*
    Es sind noch welche da.   *Sind noch welche da?*
□ *Nein danke, ich möchte keinen mehr.* □ *Nein, es ist keiner mehr da.*

Ebenso:

b) Orange	d) Kartoffeln
c) Zigarette	e) Ei

f) Gurke	h) Brötchen
g) Pommes frites	i) Kotelett

B1/2
GR

10. Was paßt? Schreiben Sie.

a) *Morgen hat Antonia Geburtstag.*
Was schenken _____?
Ⓐ wir ihr
Ⓑ wir sie
Ⓒ ihr wir

b) *Felix möchte eine Lampe kaufen.*
Der Verkäufer zeigt _____.
Ⓐ sie eine
Ⓑ ihm welche
Ⓒ sie die.

c) *Meine Tochter hört gern Radio.*
Ich möchte _____ *kaufen.*
Ⓐ sie eins
Ⓑ ihr eins
Ⓒ ihr es

d) *Brauchst du noch Zigaretten?*
Ich kann _____ *mitbringen.*
Ⓐ Ihnen welche
Ⓑ Sie eine
Ⓒ dir welche

e) *Franz ißt gern Äpfel.*
Wir bringen _____ *mit.*
Ⓐ ihm eine
Ⓑ ihr welche
Ⓒ ihm welche

f) *Ich möchte einen Werkzeugkasten.*
Kaufst du _____?
Ⓐ mir einen
Ⓑ mir ein
Ⓒ ich eins

B1/2
GR

11. Schreiben Sie.

a) die Lampe
○ *Nimm doch die Lampe da!*
□ *Die gefällt mir ja.*
   Aber ich finde sie zu teuer.

b) der Tisch
○ _____
□ _____
_____

Ebenso:

c) das Radio	g) das Bett
d) die Teller	h) der Schrank
e) die Couch	i) der Teppich
f) die Stühle	

68

12. Was paßt zusammen?

B1/2
BD

A	Wann paßt es dir?	1	Nein, ich habe auch keine Idee.
B	Können Sie mir die Kamera erklären?	2	Nein, das finde ich unpersönlich.
C	Was schenkst du Jochen?	3	Ja, sehr gut, den nehme ich.
D	Mag Jochen Rock-Musik?	4	Nein danke, ich schaue nur.
E	Kauf ihr doch einen Aschenbecher!	5	Nein, nur die hier.
F	Weißt du schon etwas?	6	Das von ‚Ultra'.
G	Welches Radio empfehlen Sie?	7	Am Montag.
H	Gibt es noch andere?	8	Ich weiß noch kein Geschenk.
I	Kann ich Ihnen helfen?	9	Ja, am liebsten Jack Berry.
J	Gefällt Ihnen der hier?	10	Ja, die ist nicht kompliziert.

A	B	C	D	E	F	G	H	I	J
7									

13. Welche Antwort paßt?

B1/2
BD

a) *Hat Rita morgen Geburtstag?*
   - Ⓐ Da kann ich leider nicht.
   - Ⓑ Nein, da geht es leider nicht.
   - Ⓒ Nein, am Mittwoch.

b) *Können Sie mir helfen?*
   - Ⓐ Danke, jetzt nicht.
   - Ⓑ Ja, natürlich.
   - Ⓒ Ich weiß noch nichts.

c) *Hast du schon ein Geschenk?*
   - Ⓐ Nein, ich habe noch keine Idee.
   - Ⓑ Ja, das weiß ich.
   - Ⓒ Nein, das weiß ich nicht.

d) *Bring ihr doch Zigaretten mit!*
   - Ⓐ Hat er keine?
   - Ⓑ Ich rauche nicht.
   - Ⓒ Raucht sie denn?

e) *Kannst du am Montag?*
   - Ⓐ Ja, das paßt mir gut.
   - Ⓑ Ja, das gefällt mir gut.
   - Ⓒ Ja, das weiß ich.

f) *Spielt er gern Fußball?*
   - Ⓐ Ja, er hat einen Fußball.
   - Ⓑ Ich glaube ja.
   - Ⓒ Nein, er mag nur Fußball.

14. Was können Sie auch sagen?

B1/2
BD

a) *Die Blumen gefallen mir.*
   - Ⓐ Die Blumen finde ich schön.
   - Ⓑ Ich mag Blumen sehr.
   - Ⓒ Die Blumen passen mir nicht.

b) *Ich habe Lust zu kommen.*
   - Ⓐ Ich kann kommen.
   - Ⓑ Ich möchte gern kommen.
   - Ⓒ Ich komme.

c) *Morgen geht es nicht.*
   - Ⓐ Morgen gehe ich nicht.
   - Ⓑ Morgen weiß ich nicht.
   - Ⓒ Morgen paßt es mir nicht.

d) *Zum Geburtstag schenke ich ihm ein Buch.*
   - Ⓐ Zum Geburtstag bekommt er ein Buch.
   - Ⓑ Zum Geburtstag kauft er ein Buch.
   - Ⓒ Zum Geburtstag möchte er ein Buch.

Lektion 7

e) *Ich nehme die Schreibmaschine.*
    Ⓐ Ich möchte die Schreibmaschine.
    Ⓑ Die Schreibmaschine ist gut.
    Ⓒ Die Schreibmaschine gefällt mir.

f) *Sie hört gern Jazz.*
    Ⓐ Sie hat Jazz-Platten.
    Ⓑ Sie möchte Jazz-Platten.
    Ⓒ Jazz mag sie sehr.

B1/2
BD

15. Schreiben Sie einen Dialog.

Ich glaube ja.

~~Hallo Karin.~~

Tag Gerd, was machst du denn hier?

Nein, ich habe keine Idee.

Weißt du schon etwas?

Sie mag doch keine klassische Musik.

Liest sie gern?

Ich suche ein Geschenk für Eva.

Die Idee ist nicht schlecht.

Dann kauf ihr doch ein Buch.

Wie findest du eine Platte von Haydn oder Mozart?

○ *Hallo Karin.* _____
□ _____
○ _____
□ ...

B1/2
SA

16. Lesen Sie im Kursbuch S. 84, und schreiben Sie dann den Text zu Ende.

Das Geschenk

Annabella hat *Geburtstag* , und Goofy möchte ihr etwas _____. Aber er weiß noch nicht was. Er _____ in die Stadt und _____ ein Geschenk. Er hat keine _____, denn _____, _____ und _____ hat sie schon. Dann _____ er Micky und Minnie. Minnie _____ sofort eine Idee. Sie weiß, Annabella _____ einen Pelz. Goofy findet die Idee _____. Deshalb _____ er in ein Pelzgeschäft. Der Verkäufer _____ _____ einen Pelzmantel. Der _____ 20 000,– DM. Goofy _____ das zu teuer. _____
_____
_____

70

17. Schreiben Sie einen Comic.

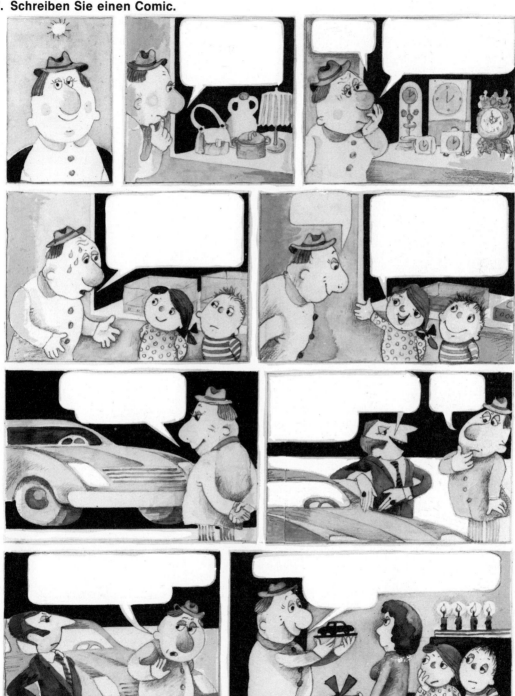

Dem „kleinen Kaufmann" geht es schlecht.

„Zu vermieten" liest man oft an Türen und Fenstern von kleinen Geschäften. Warum müssen sie schließen? Wir fragten Geschäftsleute in einer Straße in München.

Das kleine Geschäft an der Ecke z. B. gibt es schon seit dreißig Jahren. Hier kann man Gemüse, Brot und Milch bekommen. Die Leute kommen gern, denn die Lebensmittel sind frischer als im Supermarkt, und die Bedienung ist persönlicher. „Das Geschäft ist eigentlich gut", sagt der Besitzer, „aber die Miete wird jedes Jahr teurer. Noch kann ich sie bezahlen, aber in zwei oder drei Jahren vielleicht nicht mehr."
Auch die anderen Geschäfte in der Straße haben das Problem: der Friseursalon, das Bettengeschäft und das Modegeschäft. Das Schuhgeschäft und der Modeladen schließen deshalb. Das Bettengeschäft und der Friseursalon ziehen in billigere Straßen um. „Der Ver-

mieter möchte jetzt 5.000,- Mark haben, das sind 150 % mehr", erklärt uns die Besitzerin des Friseursalons, „aber ich kann nur 3000,- Mark bezahlen. Deshalb suche ich einen

neuen Laden." Wer aber kann dann 70,- Mark pro Quadratmeter bezahlen? Meistens sind es Versicherungen, Banken, Kaufhäuser, Supermärkte und teure Boutiquen.   Mü

1982: Sorgenjahr des Einzelhandels
Umsatzveränderung im Facheinzelhandel gegenüber 1981 in %

	plus	
	+5	Reformhäuser
	+4	Radio, Fernsehen
	+3	
	+2	Bücher
	+1	Bürobedarf, Hausrat, Lebensmittel
	±0	Drogerien
minus		
Elektro	−1	
Textilien	−2	
Uhren, Schmuck	−3	
Lederwaren, Schuhe, Spielwaren	−4	
Tapeten, Farben, Sportartikel	−5	
	−6	
Möbel, Fotobedarf	−7	
Musikalien	−8	

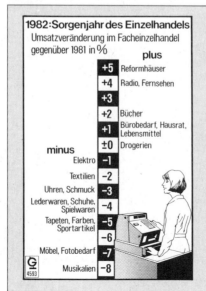

G 4593

Viele kleine Geschäfte verkaufen heute weniger als früher. Besonders schlecht geht es den Musik-, Foto- und Möbelgeschäften, denn die Leute brauchen nicht immer wieder neue Mixer, Toaster, Fotoapparate und Möbel. Einigen Geschäften, wie z. B. Drogerien und Lebensmittelgeschäften geht es etwas besser, aber auch sie haben Probleme. Nur wenigen Geschäften geht es noch gut (z. B. Reformhäuser: 5 % plus). Das kann man erklären: Immer mehr Bundesdeutsche essen „Reformkost", „Naturkost", „Bio-Kost", denn sie wollen „natürlich" essen und kaufen deshalb im Reformhaus. Auch die Radio- und Fernsehgeschäfte verkaufen noch gut, denn hier gibt es immer wieder etwas Neues wie z. B. Video.

Junge Leute in der Bundesrepublik können schon viel Geld ausgeben, mit 10 – 14 Jahren bekommen sie ungefähr 45,– Mark im Monat, mit 15 – 19 Jahren sind es dann schon ungefähr 250,– Mark. In der Bundesrepublik gibt es 10 Millionen Jugendliche im Alter von 10 – 19 Jahren, d. h. alle Kinder und Jugendlichen zusammen haben im Monat mehr als 1,2 Milliarden Mark.

Eine phantastische Summe! 25 % der Summe kommt meistens auf ein Bankkonto, aber der Rest wandert Monat für Monat in die Kassen der Geschäfte, Caféterias, Eisdielen, Schnellimbisse, Kinos, Diskotheken, Reisebüros etc.

Deshalb sind auch junge Leute für Industrie und Geschäftsleben interessant.

Die Industrie produziert viele Artikel extra für Jugendliche, und in den Modegeschäften gibt es oft spezielle Abteilungen. Sie heißen: „Young fashion“, „Young corner“ oder „Teens und twens“. Mit diesen internationalen Namen möchten die Geschäfte ihre Artikel interessant machen. Die Geschäftsleute denken: Ein internationaler, phantasievoller Name gefällt den jungen Leuten bestimmt besser als ein langweiliger deutscher.

Auf die Frage: „Was macht ihr eigentlich mit eurem Geld?“ antworten die meisten Jugendlichen: „Wir geben es für Essen, Süßigkeiten und Getränke aus.“

TASCHENGELD

HÄUFIGKEIT DER NENNUNGEN	Verwendung des freien Einkommens im letzten Monat (1976)			
	JUNGEN		MÄDCHEN	
	10-14 J.%	15-19 J.%	10-14 J.%	15-19 J.%
Essen, Süßigkeiten	79	57	81	63
Getränke	51	76	43	61
Bücher, Zeitschriften etc.	49	51	49	57
Ausgehen, Kino, Diskothek	20	71	20	46
Schallplatten, Kassetten	23	41	16	30
Kleidung	3	27	12	46
Schulsachen	14	22	14	24
Tabakwaren	3	35	3	27
Körperpflege, Kosmetika	1	9	8	51
Rad, Moped, Auto	11	36	4	8
Spielsachen	28	4	12	2
Ausflüge, Reisen	3	18	3	17

Aus: McCann Jugendstudie 1976, S. 58

Reine Verhandlungssache!

Lektion 8

1. Bernd sucht seine Brille. Wo ist sie? Schreiben Sie.

a) *vor dem*

d) _____

g) _____

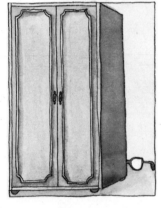

b) _____

e) _____

h) _____

c) _____

f) _____

i) _____

Lektion 8

B1
BD

2. Wer wohnt wo?

a) Wer wohnt neben Familie Reiter, aber nicht unter Familie Huber? *Familie Meier.*

b) Wer wohnt hinter dem Haus? _____

c) Wer wohnt neben Familie Meier, aber nicht über Familie Becker? _____

d) Wer wohnt neben Familie Reiter, aber nicht über Familie Schulz? _____

e) Wer wohnt vor dem Haus? _____

f) Wer wohnt neben Familie Schulz, aber nicht unter Familie Korte? _____

g) Wer wohnt zwischen Familie Holzmann und Familie Huber, aber nicht über Familie Meier?

_____

h) Wer wohnt neben Familie Berger, aber nicht über Familie Walter? _____

i) Wer wohnt zwischen Familie Becker und Familie Berger? _____

B2/3
WS

3. Ergänzen Sie.

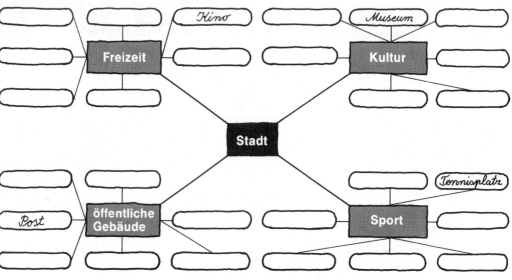

4. Welches Wort paßt nicht?

B2/3
WS

a) Rathaus – Post – ~~Kirche~~ – Arbeitsamt

b) Schwimmhalle – Diskothek – Tennisplatz – Sportzentrum

c) Kanal – Fluß – See – Straße

d) Hauptbahnhof – Kunsthalle – Theater – Museum

e) Theater – Diskothek – Nachtclub – Spielbank

f) Tennisplatz – Spielbank – Schwimmhalle – Sportplatz

g) Hauptbahnhof – Auto – Richtung – Station

h) Kreuzung – Platz – Kanal – Straße

i) Auto – Parkplatz – Bahn – Bus

j) Flugzeug – Taxi – Bus – Auto

5. Ergänzen Sie.

B2/3
WS

a) Schiff – Fluß : Auto – _____*Straße*_____

b) Schwimmhalle – schwimmen : Tennisplatz – _____

c) Bahn – Bahnhof : Schiff – _____

d) Post – telefonieren : Bücherei – _____

e) Auto – fahren : Segelboot – _____

f) Kunsthalle – Bilder : Kino – _____

g) mit der U-Bahn – fahren : mit dem Schiff – _____

h) Spielbank – Roulette spielen : Fußballplatz – _____

i) Bus – fahren : Flugzeug – _____

6. Was stimmt hier nicht? Schreiben Sie.

B2/3
GR

Auf der Couch liegt ein Teller. _____

Vor der Tür _____

Lektion 8

7. Wohin stellen wir . . .? Schreiben Sie.

○ Was meinst du?

a) Wohin stellen wir	den Fernseher?	□ Am besten	_auf den Tisch._
b)	den Sessel?		
c)	den Tisch?		
d)	die Lampe?		
e)	das Bett?		
f)	die Blume?		
g)	den Kühlschrank?		

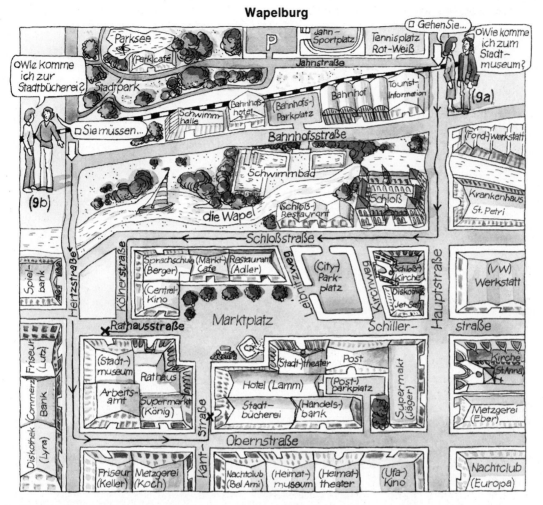

Wapelburg

8. **Beschreiben Sie den Stadtplan. Wo liegt was? Ergänzen Sie ‚in', ‚an', ‚neben', ‚vor', ‚hinten' oder ‚zwischen'. ‚Der' oder ‚ein', ‚die' oder ‚eine', ‚das' oder ‚ein'?**

B2/3
GR

a) _Der_ Postparkplatz liegt _hinter_ _einem_ Supermarkt.

b) _Hinter_ _dem_ Supermarkt Jäger liegt _ein_ Parkplatz.

c) _____ _____ Schloß ist _____ Restaurant.

d) _____ Markt-Café liegt _____ _____ Restaurant.

e) _____ Schwimmbad liegt _____ _____ Wapel.

f) _____ _____ Sprachschule Berger und _____ Restaurant Adler ist _____ Café.

g) _____ _____ Schloß ist _____ Schloßrestaurant.

h) _____ Tourist-Information ist _____ _____ Bahnhofstraße _____ _____ Bahnhof.

i) _____ Parkcafé liegt _____ Parksee.

j) _____ Jahn Sportplatz liegt _____ _____ Tennisplatz Rot-Weiß und _____ Parkplatz.

79

Lektion 8

B2/3
GR

9. Wie komme ich zur/zum . . .? Ergänzen Sie.

a) ○ Wie komme ich _zum_ Stadtmuseum?
   □ Gehen Sie hier die Hauptstraße geradeaus
   _____ _____ Wapel bis _____ Schloß. Dort
   _____ Schloß rechts, dann immer geradeaus,
   _____ _____ Parkplatz vorbei bis _____ Kreu-
   zung Kölner-Straße. Dort _____ _____ Sprach-
   schule links. Dann die Kölner-Straße geradeaus bis
   _____ Rathausstraße. Dort rechts. Das Stadtmu-
   seum ist _____ _____ Rathaus.

b) ○ Wie komme ich _____ Stadtbücherei?
   □ Sie müssen hier die Hertzstraße geradeaus gehen, _____ _____ Wapel, _____ _____
   Spielbank und _____ _____ Commerzbank vorbei, bis Sie _____ _____ Diskothek
   kommen. Dort _____ _____ Diskothek gehen Sie links _____ _____ Obernstraße bis
   _____ Supermarkt König. _____ _____ Supermarkt müssen Sie links. Rechts sehen
   Sie dann schon die Stadtbücherei.

B2/3
GR

10. Wo kann man . . .? Schreiben Sie.

○ Wo kann man in Wapelburg . . .

a) Geld wechseln?
b) spazierengehen?
c) Kuchen essen?
d) um 3.00 Uhr nachts noch Wein trinken?
e) ein Hotelzimmer bekommen?
f) Bücher leihen?
g) Fußball spielen?
h) essen?

i) Lebensmittel einkaufen?
j) Fleisch kaufen?
k) telefonieren?
l) tanzen?
m) Deutsch lernen?
n) schwimmen?
o) Tourist-Informationen bekommen?
p) Tennis spielen?

□ Am besten . . .
a) _auf der Handelsbank._
b) _im_
c) _____
Ebenso d–p

□ Am besten *gehen* Sie . . .
a) _auf die / zur Handelsbank._
b) _____
c) _____
Ebenso d–p

B2/3
GR

11. Wie komme ich zum/nach . . .? Schreiben Sie.

a) Hauptbahnhof – U-Bahn
   □ _Wie komme ich zum Hauptbahnhof?_
   ○ _Am besten mit der U-Bahn._

Ebenso:
b) Berlin – Zug
c) Landungsbrücken – U-Bahn
d) Rathaus – Taxi

e) Alsterpark – Schiff
f) Hamburg Altona – S-Bahn
g) Köhlbrandbrücke – Bus

80

Lektion 8

12. Was paßt zusammen? Schreiben Sie.

B2/3 GR

a) U-Bahn / Schiff / Bus / Fahrkarte — mit *der U-Bahn* / mit *d* / mit — fahren

b) Gabel / Teller / Finger / Löffel — mit / mit / mit — essen

c) Kugelschreiber / Schreibmaschine / Papier / Bleistift — mit / mit / mit — schreiben

d) Deutsch / Grammatik / Wörterbuch / „Themen" — mit / mit / mit — lernen

13. Ergänzen Sie.

B2/3 GR

Hamburg, den 15.3.83

Liebe Sonja,
wir wohnen jetzt schon ein Jahr ____ Hamburg. Man lebt hier wirklich viel besser als ____ Köln. Komm doch mal ____ Hamburg. Hier kann man sehr viel machen: ____ ____ Musik-Club gehen und Musik hören und Leute treffen, ____ Restaurants gut essen, ____ Parks und ____ ____ Elbe spazierengehen, ____ ____ Alster segeln, ____ ____ Altstadt einkaufen oder abends ____ Theater oder ____ Kino gehen. Am Wochenende fahren wir oft ____ Grömitz. Das liegt ____ ____ Ostsee. Dort kann man ____ Meer schwimmen oder ____ Strand faul ____ ____ Sonne liegen. Wir fahren aber auch gern ____ ____ Nordsee. Dort gehen wir oft ____ Strand spazieren. Das ist phantastisch. Vielleicht können wir das einmal zusammen machen. Also, komm bald mal ____ Hamburg.
Herzliche Grüße
Jens und Petra

14. Ihre Grammatik: Ergänzen Sie.

B2/3 GR

a) ○ Wie komme ich am schnellsten zum Alsterpark?
b) □ Am besten nehmen Sie das Schiff.
c) ○ Kann ich nicht mit der U-Bahn fahren?
d) □ Zum Alsterpark fährt keine U-Bahn.

	Inversions-signal	Subjekt	Verb	Subjekt	Angabe	obligatorische Ergänzung	Verb
a)	Wie		komme	ich	am schnellsten	zum Alsterpark?	
b)							
c)							
d)							

81

Lektion 8

15. Ergänzen Sie ,in', ,an', ,auf', ,nach' und die Artikel.
Ergänzen Sie auch andere Beispiele. Bilden Sie Beispielsätze.

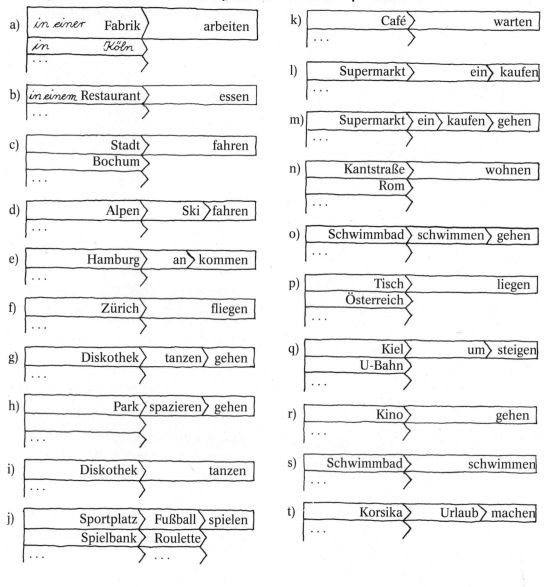

a) *in einer* Fabrik 〉 arbeiten
   in Köln 〉
   . . . 〉

b) *in einem* Restaurant 〉 essen
   . . . 〉

c) Stadt 〉 fahren
   Bochum 〉
   . . . 〉

d) Alpen 〉 Ski 〉 fahren
   . . . 〉

e) Hamburg 〉 an 〉 kommen
   . . . 〉

f) Zürich 〉 fliegen
   . . . 〉

g) Diskothek 〉 tanzen 〉 gehen
   . . . 〉

h) Park 〉 spazieren 〉 gehen
   . . . 〉

i) Diskothek 〉 tanzen
   . . . 〉

j) Sportplatz 〉 Fußball 〉 spielen
   Spielbank 〉 Roulette 〉
   . . . 〉 . . . 〉

k) Café 〉 warten
   . . . 〉

l) Supermarkt 〉 ein 〉 kaufen
   . . . 〉

m) Supermarkt 〉 ein 〉 kaufen 〉 gehen
   . . . 〉

n) Kantstraße 〉 wohnen
   Rom 〉
   . . . 〉

o) Schwimmbad 〉 schwimmen 〉 gehen
   . . . 〉

p) Tisch 〉 liegen
   Österreich 〉
   . . . 〉

q) Kiel 〉 um 〉 steigen
   U-Bahn 〉
   . . . 〉

r) Kino 〉 gehen
   . . . 〉

s) Schwimmbad 〉 schwimmen
   . . . 〉

t) Korsika 〉 Urlaub 〉 machen
   . . . 〉

16. ,In' oder ,,auf'? Was paßt?

a) *auf der* Universität 〉 studieren

b) Café 〉 Kuchen 〉 essen

c) Arbeitsamt 〉 Arbeit 〉 suchen

d) Kino 〉 einen Film 〉 sehen

e) Bank 〉 Geld 〉 wechseln

f) Post 〉 Briefmarken 〉 kaufen

82

g) | Hotel ⟩ wohnen | i) | Krankenhaus ⟩ arbeiten |

h) | Metzgerei ⟩ Fleisch ⟩ kaufen | j) | Rathaus ⟩ einen Paß ⟩ bekommen |

17. Was paßt zusammen?

B2/3
BD

A	Wo können wir uns treffen?	1	Ist die U-Bahn nicht schneller?
B	Muß ich umsteigen?	2	Am Dammtor.
C	Nehmen Sie am besten den Bus.	3	Ja, aber die U-Bahn ist schneller.
D	Wie komme ich zum Schloß?	4	Ja, in der Klenzestraße.
E	Gibt es hier eine Post?	5	Am besten im Parkcafé.
F	Fahrt ihr Samstag an die Ostsee?	6	Nein, die ist am Glockengießer Wall.
G	Ist das Krankenhaus in der Georgstraße?	7	Nein, die fährt direkt zum Zoo.
H	Fährt eine U-Bahn nach Poppenbüttel?	8	Gehen Sie hier immer geradeaus.
I	Wo muß ich aussteigen?	9	Nein, das ist in der Lohmühlenstraße.
J	Kann ich auch den Bus nehmen?	10	Nein, wir haben keine Lust.
K	Entschuldigung, ist hier die Kunsthalle?	11	Nein, aber eine S-Bahn.

A	B	C	D	E	F	G	H	I	J	K
5,2										

18. Was können Sie auch sagen?

B2/3
BD

a) *Nehmen Sie die S7 bis Barmbek.*
   Ⓐ Die S7 fährt bis Barmbek.
   Ⓑ Fahren Sie mit der S7 bis Barmbek.
   Ⓒ Sie können bis Barmbek fahren.

b) *Wo kann man hier telefonieren?*
   Ⓐ Kann man auf der Post telefonieren?
   Ⓑ Möchten Sie telefonieren?
   Ⓒ Wo ist hier ein Telefon?

c) *Wie komme ich zum Marktplatz?*
   Ⓐ Kommt man geradeaus zum Marktplatz?
   Ⓑ Wo kommt der Marktplatz?
   Ⓒ Können sie mir den Weg zum Marktplatz zeigen?

d) *Ich bin auch fremd hier.*
   Ⓐ Ich kenne Hamburg auch nicht.
   Ⓑ Ich bin auch Ausländer.
   Ⓒ Ich arbeite auch nicht hier.

e) *Das Thalia Theater ist am Alstertor.*
   Ⓐ Das Thalia Theater liegt am Alstertor.
   Ⓑ Das Thalia Theater gibt es am Alstertor.
   Ⓒ Am Thalia Theater ist das Alstertor.

f) *Steigen Sie am Dammtor in die S11 um.*
   Ⓐ Sie können die S11 zum Dammtor nehmen.
   Ⓑ Fahren Sie bis zum Dammtor und nehmen Sie dann die S11.
   Ⓒ Die S11 fährt zum Dammtor.

Lektion 8

19. Lesen Sie den Brief.

Ort/Datum	Hamburg, 3.3.1983
Anrede	Lieber Jonas,
Text/ Informationen	Du möchtest mich besuchen, das finde ich toll! Hier schicke ich Dir eine Beschreibung Du kannst den Weg dann besser finden. Also, paß auf: am Hauptbahnhof steigst Du aus. Dann nimmst Du die U-Bahn, Linie 8 in Richtung Altona. Am Dammtor, das ist die fünfte Station, steigst Du um in die Straßenbahn in Richtung Osterbrook (das ist die Linie 15), und dann fährst Du drei Stationen bis zur Langwieder Straße. Da mußt Du aussteigen. Bis zur Kurzstraße sind es dann nur noch ungefähr 3 Minuten zu Fuß.
Schlußsatz Gruß	Bis Dienstag dann! Viele Grüße Tim!

Schreiben Sie zwei Briefe nach dem Modell.

	a)	b)	c)
Ort/ Datum	Hamburg 3. 3. 1983	. . . . . .	Sie haben Geburtstag und geben eine Party.
Anrede	Lieber Jonas	Liebe . . . (Lieber) . . .	Sie möchten einen Freund/eine Freundin ein-
Infor- mationen	Hauptbahnhof aussteigen S-Bahn 8 (→ Altona) Dammtor (fünfte Station) umsteigen Straßenbahn 15 (→ Osterbrook) 3. Station Langwieder Straße 3 Minuten zur Kurzstraße	Hauptbahnhof aussteigen U-Bahn 12 (→ Eppendorf) Hoheluft-Straße (siebte Station) umsteigen Bus 38 (→ Rotherbaum) 4. Station Sedanstraße hinter dem Krankenhaus	laden. Schreiben Sie eine Einladung und erklären Sie den Weg vom Hauptbahnhof in Ihrer Stadt zu Ihrer Wohnung.
Schlußsatz	Bis Dienstag dann!	. . .	
Gruß	Tim	. . .	

84

Bauen und Wohnen auf dem Land

Sauerlach muß ein Dorf bleiben

Das ist die Situation in Sauerlach 1976:

Eine große Baugesellschaft möchte direkt in Sauerlach, einem Dorf bei München, eine neue Schlafstadt bauen. Das Bild rechts zeigt das Modell: eine typische Schlafstadt mit vielen Hochhäusern und nur wenig Reihen- und Einfamilienhäusern. Die Straßen sind sehr groß: gut für Autos, aber nicht für Kinder und alte Leute. Es gibt kein richtiges Zentrum mit Geschäften, Gasthöfen, Post, Kirche, Ärzten, Rathaus und Bücherei.
„Eine moderne Stadt", sagt die Baugesellschaft. Die Einwohner meinen: „Die Stadt hat kein Gesicht, sie ist kalt und ungemütlich. Man kann hier nur schlafen, aber nicht richtig leben. Sauerlach muß ein Dorf bleiben." Sie protestieren gegen das Modell, aber auch das Gemeindeparlament möchte keine Schlafstadt in Sauerlach. Man sucht deshalb eine neue Baugesellschaft und findet sie auch.

Heute, 8 Jahre später, ist Sauerlach ein menschliches Dorf. Es gibt jetzt ein attraktives Einkaufszentrum mit allen wichtigen Geschäften. Sie liegen schön unter Arkaden und die Apotheke ist in einem Turm. Das Dorfzentrum ist aber nicht nur ein Geschäftszentrum. Viele Leute wohnen auch hier, denn über den Geschäften sind Wohnungen. „Man kann hier gut spazierengehen und Leute treffen", sagt ein Sauerlacher. Im Gasthof „Zur Post" ist abends selten ein Stuhl frei. Alles ist jetzt nicht mehr so groß, auch die Wohnhäuser haben menschliche Größen.

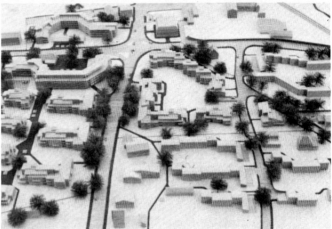

Oben: Das Modell „Schlafstadt Sauerlach"
Unten: Sauerlach heute, das Dorfzentrum

Hamburg à la carte

Elbe

Ohne die Elbe ist Hamburg nicht das, was es ist: das Industrie- und Handelszentrum Norddeutschlands. Doch die Elbe ist deshalb auch ein Problem. Die Industrie und der Schiffsverkehr machen den Fluß kaputt. Schwimmen kann man in der Elbe schon lange nicht mehr. Es gibt zwar immer noch Fische in der Elbe, aber die sind meistens krank, und man kann sie deshalb nicht essen. 1918 gab es noch 1800 Fischer auf der Elbe, jetzt sind es nur noch 10. Bürgerinitiativen kämpfen seit vielen Jahren für einen sauberen Fluß. Sie wollen vor allem keine neue Industrie an der Elbe. Auch die internationale Organisation Greenpeace ist in Hamburg sehr aktiv. Jeder kann in einer Bürgerinitiative mitarbeiten. Hier einige Kontaktadressen:

Fischdelikatessen oder Fischdelikt?

Bürgerinitiative Umweltschutz Unterelbe, BBU, Bartelstraße 24, 2000 Hamburg 6, Telefon 0 40/4 39 87 71.

Förderkreis „Rettet die Elbe" e.V., Dreikatendeich 44, 2103 Hamburg 95; Greenpeace, Hohe Brücke 1, 2000 Hamburg 1.

Szene

In der Bundesrepublik spricht man von der „Hamburger Szene" und meint die Live-Musik in den Musik-Kneipen und Klubs an Elbe und Alster. Die Hamburger finden, die „Szene" gibt es schon lange nicht mehr. Vielleicht ist das richtig. Trotzdem, in keiner Stadt in der Bundesrepublik gibt es jeden Abend so viele Live-Konzerte. Das Angebot ist groß: Jazz, Neue deutsche Welle, New Wave, Punk, Pop, Country-Music, Rock und Folk.

Das sind die drei wichtigsten Musikkneipen:

LOGO
Grindelallee 5, Hamburg 13, Telefon 4 10 56 58

Es gibt vor allem Rock-Musik, und die ist nicht schlecht hier. Wieland Vogts, der Besitzer, kennt die Rock-Szene, und er hat einen guten Geschmack. Nicht nur Rock-Gruppen, auch Liedermacher und die Kleinkunst sind im Logo zu Hause.

ONKEL PÖ
Lehmweg 44, Hamburg 20, Telefon 48 26 84

Das Onkel Pö ist wohl einer der besten Rock- und Jazz-Klubs in Europa. Viele international bekannte Gruppen geben im Onkel Pö Gastkonzerte. Viele noch wenig bekannte Gruppen möchten hier gern spielen. Denn mit einem Konzert im Onkel Pö kann oft die Karriere anfangen.

FABRIK
Barnerstraße 36, Hamburg 50, Telefon 39 15 63

Die Fabrik ist in der ganzen Bundesrepublik bekannt. Sie ist eigentlich keine Musik-Kneipe, sondern ein großes Kommunikationszentrum. Hier kann man nicht nur Musik hören. Nachmittags können Kinder in der Fabrik z. B. malen, fotografieren, kochen, backen, Musik machen, Theater spielen und Sport treiben. Für Erwachsene gibt es abends Musik-Konzerte. Vor allem Jazz, Rock, Folk, aber auch politische Veranstaltungen sind im Programm.

„Onkel Pö" – Besitzer Holger Jass

„Fabrik" – Theater mit Publikum

1. Vergleichen Sie. Was ist falsch?

| Original | Fälschung |

a) *das Auge*   c) _____   e) _____   g) _____   i) _____

b) _____   d) _____   f) _____   h) _____   j) _____

2. Was paßt nicht?

a) Auge – Ohr – ~~Bein~~ – Nase

b) Arm – Zahn – Hand – Finger

c) Kopf – Knie – Bein – Fuß

d) Rücken – Busen – Brust – Ohr

e) Busen – Mund – Nase – Zahn

f) Zeh – Fuß – Hand – Bein

3. Ihr . . . tut weh. Was sagen Sie?

	Ich habe . . .	Mein(e) . . .	Ich habe Schmerzen . . .
Kopf	*Kopfschmerzen.*	*Kopf tut weh.*	—
Bein	—	*Bein tut weh.*	*im Bein.*
Nase			
Ohren			
Rücken			
Zahn			
Fuß			
Auge			
Knie			
Bauch			
Hand			
Schulter			

Lektion 9

4. Schreiben Sie.

a) ○ *Hast du*
...
□ *Nein, die*
...

○ *Wo ist...*
□ *Die ist...*

b) ○ _____
   □ _____

○ _____
□ _____

c) ○ _____
   □ _____

○ _____
□ _____

5. Was paßt zusammen?

		a) mein Medikament	b) seine Nase	c) mit euren Füßen	d) Ihre Zähne	e) ihre Hand	f) in unserem Haus	g) mit eurem Auto	h) in ihrem Garten	i) dein Arzt	j) mein Geburtstag	k) ihre Kassetten	l) auf Ihrem Radio	m) in unserer Stadt	n) eure Kamera	o) Ihr Medikament	p) unsere Bücher	q) in eurem Urlaub	r) unter seinem Stuhl	s) ihre Tasche	t) mit meinem Fuß	u) in unserer Wohnung	v) deine Bücher
A	ich	X																					
B	du																						
C	Sie																						
D	er (Uwe) es man		X																				
E	sie (Maria)																						
F	wir																						
G	ihr																						
H	sie																						
I	Sie																						

6. Schreiben Sie einen Dialog.

○ _____
□ _____
○ _____
□ _____
○ _____
□ _____

7. Ergänzen Sie.

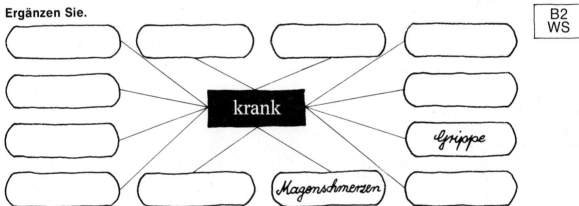

krank

Grippe

Magenschmerzen

8. Was muß Herr Kleimeyer tun? Was darf er nicht tun? Schreiben Sie.

a) erkältet ⟨ im Bett bleiben
schwimmen gehen
heißen Tee trinken

Herr
Kleimeyer
ist erkältet.

Er muß im Bett bleiben.
Er darf nicht schwimmen gehen.
Er muß heißen Tee trinken.

Ebenso:

b) zuckerkrank ⟨ Zucker essen
Salat und Gemüse essen
Kuchen essen

c) Verstopfung ⟨ Schokolade essen
Tabletten nehmen
Joghurt essen

Lektion 9

d) Kopfschmerzen
- viel rauchen
- spazierengehen
- Alkohol trinken

e) Magenschmerzen
- Tee trinken
- Wein trinken
- fett essen

f) nicht schlafen können
- Sport treiben
- abends spät essen
- Kaffee trinken

g) Magengeschwür
- viel arbeiten
- zum Arzt gehen
- weniger arbeiten

9. ‚Müssen' oder ‚sollen'? ‚Nicht dürfen' oder ‚nicht sollen'?

○ Herr Doktor, ich habe immer so Magenschmerzen.

□ Herr Keller, Sie müssen weniger arbeiten und dürfen nicht so fett essen.

○ Herr Doktor, ich habe immer . . .

□ Herr Keller,
  a) Sie *müssen* mehr schlafen.
  b) Sie _____ viel Obst essen.
  c) Sie _____ nicht Fußball spielen.
  d) Sie _____ Tabletten nehmen.
  e) Sie _____ keinen Kuchen essen.
  f) Sie _____ nicht so viel rauchen.
  g) Sie _____ jeden Tag schwimmen.
  h) Sie _____ keinen Wein trinken.

○ Was sagt der Arzt, Jochen?

□ Ich soll weniger arbeiten, und ich soll auch nicht fett essen.

○ Was sagt der Arzt, Jochen?

□
  i) *Ich soll mehr schlafen.*
  j) _____
  k) _____
  l) _____
  m) _____
  n) _____
  o) _____
  p) _____

90

Lektion 9

10. ‚Können', ‚sollen', ‚müssen' oder ‚dürfen'? Ergänzen Sie.

B2
BD

a) Hier _muß_ man stoppen.

b) Hier _____ man parken.

c) Hier _____ man tanken.

d) Hier _____ man aufpassen.

e) Hier _____ man nicht radfahren.

f) Hier _____ man rechts fahren.

g) Hier _____ man nicht parken.

h) Hier _____ man telefonieren.

i) Hier _____ man auf dem Fußweg parken.

j) Man _____ nicht schneller als 60 km/h fahren.

k) Hier _____ man geradeaus fahren.

l) Man _____ zwischen 70 und 110 km/h fahren.

m) Hier _____ man Erste Hilfe bekommen.

n) Hier _____ man leise fahren.

o) Hier _____ man Kaffee trinken und etwas essen.

p) Hier _____ nur Fußgänger gehen.

q) Der Gegenverkehr _____ warten.

r) Hier _____ man nicht überholen.

91

Lektion 9

B2
BD

11. ,Können', ,müssen', ,dürfen', ,sollen', ,wollen' oder ,mögen'? Was paßt?

a) Frau Moritz:

„Ich _muß_ jeden Monat zum Arzt. Der Arzt sagt, ich _____ dann am Morgen nichts essen und trinken. Denn er _____ mein Blut untersuchen. Jetzt habe ich Hunger. Ich _____ gern etwas essen, aber ich _____ noch nicht."

b) Herr Becker:

„Ich habe eine Verletzung am Finger. Die tut sehr weh. Ich _____ Schmerztabletten nehmen, aber ich _____ das nicht, denn ich habe dann immer Magenschmerzen. Der Arzt sagt, ich _____ meine Hand ruhig halten, aber das _____ ich nicht immer, und meine Frau sagt, ich _____ im Bett liegen bleiben. Ich finde das langweilig; ich _____ lieber arbeiten gehen."

c) Herr Müller:

„Ich habe Schmerzen im Knie. Ich _____ nicht richtig laufen. Deshalb sagt der Arzt, ich _____ oft schwimmen gehen. Das tut gut, aber ich habe immer so wenig Zeit. Ich _____ bis um 18 Uhr arbeiten. Der Arzt gibt mir immer Tabletten, aber die _____ ich nicht nehmen, denn die helfen ja doch nicht. Ich brauche Sonne für mein Knie. Vielleicht _____ der Arzt mir eine Reise nach Spanien verschreiben."

d) Karin:

„Ich _____ nicht zum Doktor, denn er tut mir immer weh. Ich _____ keine Tabletten nehmen. Immer sagt er, ich _____ morgens, mittags und abends Tabletten nehmen. Ich _____ das nicht mehr!"

B2
GR

12. Ihre Grammatik: Ergänzen Sie.

	mögen	dürfen	müssen	sollen	wollen	können
ich	_möchte_					
du						
Sie						
er, sie, es						
wir						
ihr						
sie						

92

13. Was paßt zusammen?

B2
BD

A	Jens sieht aber schlecht aus.	1	Ich habe Kopfschmerzen.
B	Was ist los?	2	Na ja, es geht.
C	Hast du Grippe?	3	Auch keinen Wein?
D	Ist es schlimm?	4	Ich weiß auch nicht. Gehen Sie am besten zum Arzt!
E	Was sagt der Arzt?	5	Kann ich dir helfen?
F	Was soll ich tun?	6	Nein danke, die helfen nicht.
G	Sie dürfen keinen Alkohol trinken.	7	Er hat doch Zahnschmerzen.
H	Möchten Sie die Kopfschmerz-tabletten noch mal?	8	Der weiß auch nichts.
I	Mir ist schlecht.	9	Ich kann nicht; ich bin krank.
J	Spiel doch mit!	10	Nein, aber ich bin erkältet.

A	B	C	D	E	F	G	H	I	J
7, 2									

14. Welche Antworten passen?

B2
BD

a) *Du siehst heute aber schlecht aus!*
   A Ich bin aber nicht krank.
   B Ich sehe auch schlecht.
   C Seit gestern habe ich Zahnschmerzen.

b) *Ich wünsche dir gute Besserung.*
   A Nein, danke.
   B Ich dir auch.
   C Danke.

c) *Tut sein Bein weh?*
   A Ja, ziemlich.
   B Nein, deshalb kann er nicht laufen.
   C Ja, er liegt im Bett.

d) *Willst du nicht mitspielen?*
   A Doch, aber ich kann nicht.
   B Nein, aber ich muß nicht.
   C Ja, aber ich darf nicht.

e) *Haben Sie Zahnschmerzen?*
   A Ja, seit gestern.
   B Ja, noch zwei Tage.
   C Nein, mein Zahn tut weh.

f) *Darfst du Kaffee trinken?*
   A Nein, aber Tee.
   B Das soll ich sogar.
   C Nein, Kaffee trinke ich nicht.

g) *Du mußt zum Arzt gehen.*
   A Ich habe Zahnschmerzen.
   B Kennst du einen?
   C Der kann mir auch nicht helfen.

h) *Tut es sehr weh?*
   A Ja, schon vier Tage.
   B Es geht.
   C Nein, erst zwei Stunden.

i) *Wie ist das denn passiert?*
   A Das weiß ich nicht.
   B Ich bin gefallen.
   C Mir geht es gut.

j) *Komm, geht doch mit!*
   A Ich habe keine Idee.
   B Ich habe keine Zeit.
   C Das geht nicht.

Lektion 9

B2
BD

15. Schreiben Sie einen Dialog.

Die Sätze sind nur Beispiele.
Sie müssen auch selbst Sätze bilden.

Tut es sehr weh?

Ich kann (nicht) · · ·

Ich/habe · · ·   Sie dürfen (nicht) · · ·
    /bin · · ·

Trinken Sie viel Wein/ · · ·?

Seit · · · Tagen/Wochen.

Sie haben ein Magengeschwür/ · · ·

Sie müssen · · ·   Was fehlt ihnen denn?

Mein(e) · · · tut/tun weh.

Können Sie mir · · ·   Rauchen Sie?

Nein, nur wenig.   · · · aufschreiben?

Ich schreibe Ihnen · · · auf.

Ja sehr viel.

Tut es hier weh?   Mir geht es nicht gut.

Arbeiten Sie viel?   Wie lange schon?

□ _____
○ _____
□ _____
○ _____
□ _____
○ · · ·

B3
GR

16. Ihre Grammatik: Ergänzen Sie.

a)

Partizip II	Infinitiv	Partizip II	Infinitiv
gespielt (haben)	*spielen*	gekommen (sein)	*kommen*
geholfen (haben)		gebraucht (haben)	
gefallen (sein)		gegessen (haben)	
gearbeitet (haben)		geflogen (sein)	
getrunken (haben)		angefangen (haben)	
aufgeräumt (haben)		gesprochen (haben)	
gefrühstückt (haben)		gegangen (sein)	
mitgenommen (haben)		gelernt (haben)	
aufgestanden (sein)		eingekauft (haben)	
umgestiegen (sein)		gemacht (haben)	
gezeigt (haben)		eingeladen (haben)	
genommen (haben)		geraucht (haben)	
gewartet (haben)		geschenkt (haben)	
mitgebracht (haben)		geschlafen (haben)	
geblieben (sein)		geschrieben (haben)	
gesehen (haben)		gelesen (haben)	

94

b) Ordnen Sie die Partizipien.

ge	-t	*gespielt, aufgeräumt*
ge	-en	*geholfen, umgestiegen,*

17. Ihre Grammatik: Ergänzen Sie.

B3
GR

a) Ich habe gestern Fußball gespielt.
b) Wie ist das denn passiert?
c) Darfst du keinen Kaffee trinken?
d) Du mußt unbedingt mitspielen.
e) Gestern hat sie nicht mitgespielt.
f) Hat das Bein sehr weh getan?
g) Die Wohnung habe ich noch nicht aufgeräumt.
h) Plötzlich bin ich gefallen.

	Inversions-signal	Subjekt	Verb	Subjekt	Angabe	obligatorische Ergänzung	Verb
a		*Ich*	*habe*		*gestern*	*Fußball*	*gespielt.*
b							
c							
d							
e							
f							
g							
h							

18. Perfekt mit ‚sein' oder ‚haben'? Ergänzen Sie.

B3
GR

Hallo, Thomas, lange nicht gesehen. Wo warst Du?

Wir _____ in Rijeka gewesen und _____ dort Urlaub gemacht. Es war toll dort, aber die Fahrt war sehr anstrengend. Sie _____ 22 Stunden gedauert. Morgens um 4.00 Uhr _____ wir in München abgefahren. Es war . . .

. . . viel Verkehr. An der Grenze nach Italien _____ wir drei Stunden gewartet. In Rijeka _____ wir erst um 12.00 Uhr nachts angekommen und _____ natürlich kein Hotelzimmer mehr gefunden. Morgens _____ wir dann zur Tourist-Information gegangen, und die Leute da _____ für uns ein Hotelzimmer gesucht. Das Wetter war phantastisch. Wir _____ immer sehr lange geschlafen, _____ viel gelesen, _____ spazierengegangen oder _____

Lektion 9

geschwommen. Oft _____ wir mit einem Boot zu den Inseln vor der Küste gefahren. Ich _____ übrigens segeln gelernt. Im Hotel _____ wir nur gefrühstückt. Abends _____ wir immer in einem anderen Restaurant gegessen. Und wo _____ du gewesen?

B3
BD

19. Frieda Still hat mit dem Schiff „Europa" im Mittelmeer eine Kreuzfahrt gemacht. Was hat sie jeden Tag gemacht? Schreiben Sie.

a) _Um 8.30 ist sie ..._

b) _Um 9.30 ..._

c)

d)

e) _Sie hat ..._

f) _Um 13.00 ..._

g) _Von 15.00 bis 16.00 ..._

h)

i) _Um 17.00 ..._

j)

k) _Um 18.00 ..._

l)

96

Besser als alle Chemo-Therapien
Gegen Durchfall hilft eine Salz-Zucker-Lösung

Durchfallerkrankungen (Diarrhöen) gibt es auf der ganzen Welt. Oft sind sie nicht sehr gefährlich, aber es gibt auch Todesfälle. Bakterien sind meistens die Ursache, und deshalb haben die Patienten bis jetzt immer Antibiotika (z. B. Penizillin) bekommen. Chemo-Therapien sind aber nicht sehr gesund. Sie machen die Darmflora kaputt, und der Patient hat dann oft noch mehr Durchfall.

In Amerika haben Ärzte jetzt eine neue Therapie gefunden. Sie haben ihren Patienten eine Salz-Zucker-Lösung gegeben. Diese Therapie war sehr viel besser als die alte Chemo-Therapie. Die

Amerikanische Ärzte haben eine neue, einfache Therapie gegen Durchfall gefunden.

Patienten haben vor allem weniger Wasser verloren. Das ist sehr wichtig, denn die Ursache für die tödlichen Durchfallerkrankungen war meistens sehr großer Wasserverlust.

Viel besser als jede Therapie ist aber immer noch die Vorsicht. Vor allem das Essen und die Getränke in fremden Ländern sind für Ihren Magen oft neu. Besonders frische Salate und frisches Gemüse können sehr gefährlich sein. Essen Sie deshalb nur gekochte Gerichte. Trinken Sie kein normales Wasser, sondern immer Mineralwasser oder andere Getränke aus Flaschen oder Dosen.

Hägar der Schreckliche Von Dik Browne

Es ist Zeit, ich muß aufstehen. Aber alles tut mir weh.

Die Füße tun weh, mein Magen ist kaputt, und Kopfschmerzen habe ich auch.

Was kann man da machen?

Zurück ins Bett! Zurück ins Bett! Zurück ins Bett! Zurück ins Bett!

Das ist richtig.

Die Mehrheit hat recht.

© KFS-Bulls 1983

Gold im Mund –

Zahnarzt gesund!

Die Zahnarztkosten sind in den letzten Jahren sehr stark gestiegen. Früher war das kein Problem, aber heute müssen die Krankenkassen sparen. Deutschlands Zahnärzte haben deshalb Angst um ihr hohes Einkommen und wollen sogar streiken.

Zahnärzte haben 1963 im Jahr durchschnittlich 25.000 Mark verdient, heute sind es 800% mehr: durchschnittlich 230.000 Mark. Deshalb gibt es seit drei Jahren das Kostendämpfungsgesetz: d. h. alle Ärzte sollen jetzt ökonomischer arbeiten als früher. Viele Zahnärzte sind gegen das Gesetz. Denn sie haben bis jetzt am besten verdient. Aber nicht alle Zahnärzte finden das Gesetz

Ernst Jandl

fünfter sein

tür auf
einer raus
einer rein
vierter sein

tür auf
einer raus
einer rein
dritter sein

tür auf
einer raus
einer rein
zweiter sein

tür auf
einer raus
einer rein
nächster sein

tür auf
einer raus
selber rein
tagherrdoktor

»Es muß nicht immer Gold in den Zahn«
Der Berliner Zahnarzt Dr. Peter Degano, 36, hat seine Praxis in der Nähe des Kurfürstendamms. Statt Gold nimmt er oft billigere Metall-Legierungen – und spart den Kassen dadurch viel Geld.

Studenten lernen am Gummikopf, später verdienen sie am Menschen.

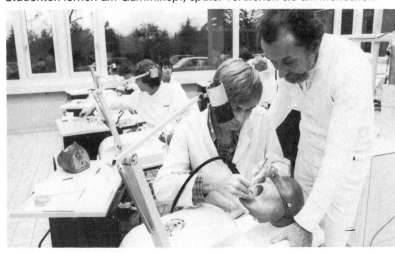

schlecht: „Es muß nicht immer Gold in den Zahn. Metall ist für die Zähne oft auch nicht schlechter. Es gibt heute gute Metall-Brükken. Die sind billiger und oft sogar besser für die Patienten als Gold-Brücken", so der Berliner Zahnarzt Dr. Degano.

Viele Leute meinen: Geld ist für Zahnärzte wichtiger als der Patient. Stimmt das wirklich? Unsere Redakteurin hat einen Test gemacht. Ihr fehlt seit zwei Jahren unten links ein Zahn, und sie möchte gerne eine Brücke haben. Sie ist deshalb zu drei Zahnärzten gegangen und hat gefragt: „Was kostet eine Brücke für meinen Zahn unten links?" Und das war das Ergebnis: Beim ersten Zahnarzt kostete die Brücke 1000,– Mark, beim zweiten 1896,– Mark und beim dritten 2639,– Mark. Dieses Ergebnis gibt dem Berliner Professor Berger recht. Er hat seine Studenten gefragt: „Warum wollen Sie Zahnarzt werden?" Die Antwort war meistens: „Ich will viel Geld verdienen." Professor Berger: „Idealismus gibt es in unserem Beruf schon lange nicht mehr." Trotzdem, es gibt noch Zahnärzte wie Dr. Degano. Sie finden es richtig, daß Ärzte sparen sollen. Denn die Krankenkassen werden immer teurer.

Lektion 10

1. Was paßt wo? Ergänzen Sie auch andere Beispiele. Bilden Sie Beispielsätze.

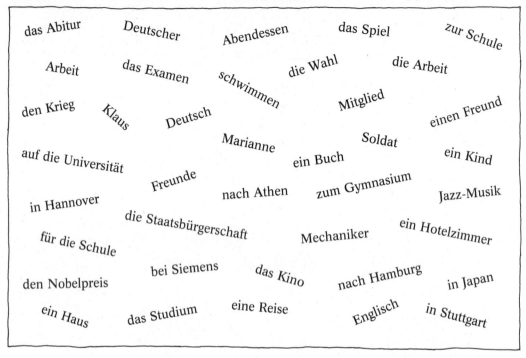

das Abitur   Deutscher   Abendessen   das Spiel   zur Schule

Arbeit   das Examen   schwimmen   die Wahl   die Arbeit

den Krieg   Klaus   Deutsch   Mitglied   einen Freund

auf die Universität   Marianne   ein Buch   Soldat   ein Kind

Freunde   nach Athen   zum Gymnasium   Jazz-Musik

in Hannover   die Staatsbürgerschaft   Mechaniker   ein Hotelzimmer

für die Schule   bei Siemens   das Kino   nach Hamburg   in Japan

den Nobelpreis   das Studium   eine Reise   Englisch   in Stuttgart

ein Haus

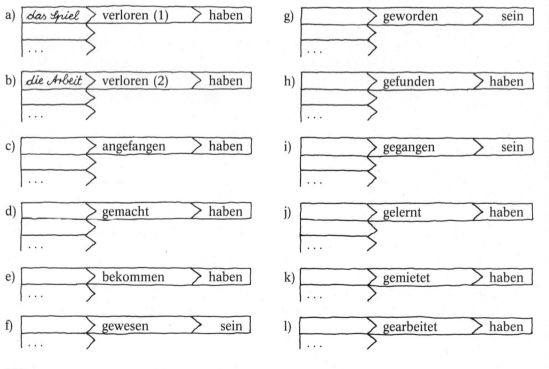

a) _das Spiel_ > verloren (1) > haben
... >

b) _die Arbeit_ > verloren (2) > haben
... >

c) > angefangen > haben
... >

d) > gemacht > haben
... >

e) > bekommen > haben
... >

f) > gewesen > sein
... >

g) > geworden > sein
... >

h) > gefunden > haben
... >

i) > gegangen > sein
... >

j) > gelernt > haben
... >

k) > gemietet > haben
... >

l) > gearbeitet > haben
... >

100

m) [> gelebt > haben]
...

p) [> geschrieben > haben]
...

n) [> studiert > haben]
...

q) [> besucht > haben]
...

o) [> gefahren > sein]
...

r) [> geheiratet > haben]
...

2. Die Familie.

B1/2
WS

Anton Weigl Martha

Sebastian Weigl   Ute Weigl   Helga Weigl

Frau
Mann
Vater }
Mutter } = Eltern
Sohn }
Tochter } = Kinder
Bruder
Schwester

Wer ist was?	Anton Weigl	Martha Weigl	Sebastian	Ute	Helga
Anton Weigl	////////	*Mann von*			
Martha Weigl		////////			
Sebastian Weigl	*Sohn von*		////////		
Ute Weigl				////////	
Helga Weigl					////////

Anton Weigl ist der Mann von Martha Weigl.
Sebastian Weigl ist der Sohn ...
Martha Weigl ist ...
Ute ...
Helga ...

...

101

Lektion 10

3. Wann ist ... geboren? Schreiben Sie.

a) Martin Luther — 1483   *vierzehnhundertdreiundachtzig*
b) Friedrich Schiller — 1759 _____
c) Heinrich Heine — 1797 _____
d) Karl Marx — 1818 _____
e) Immanuel Kant — 1724 _____
f) Friedrich Bismarck — 1815 _____
g) Albert Einstein — 1879 _____
h) Günter Grass — 1927 _____
i) Karl der Große — 704 _____
j) Thomas Mann — 1875 _____

4. Hast du das schon gemacht? Ergänzen Sie die Verben.

Notizzettel:
- Paß suchen
- Geld wechseln
- Filme kaufen
- Wohnung aufräumen
- Hund zu Frau Bloch bringen
- Reisetabletten kaufen
- mit Tante Ute sprechen Katze bringen (?)
- Auto aus der Werkstatt holen

| vergessen | finden | sein | gehen | machen |

○ _Hast_ du den Paß schon _gesucht_ ?
□ Ja, ich _____ ihn _____. Und du?
   _____ du Geld _____?

○ Nein, das _____ ich nicht _____. Wir haben doch Schecks.
   Aber ich _____ Filme _____ und die Wohnung _____.
   Und was _____ du noch _____?
□ Ich _____ auch nicht faul. Ich _____ den Hund zu Frau Bloch _____
   und _____ in die Apotheke _____ und _____ Reisetabletten
   _____. _____ du mit Tante Ute _____?
○ Ja, sie nimmt die Katze. Ich _____ sie ihr schon _____.
   _____ du das Auto aus der Werkstatt _____?
□ Nein. Warum ich? Das _____ doch deine Aufgabe.
○ Entschuldigung, aber das _____ ich total _____. Dann fahren wir eben
   morgen.

102

5. Ihre Grammatik: Ergänzen Sie.

a) Was hast du am Wochenende gemacht?
b) Wir haben 1983 ein Kind bekommen.
c) 1982 ist Italien Weltmeister geworden.
d) In Irland bin ich noch nicht gewesen.
e) Gestern war Bernd im Kino.
f) Das habe ich leider vergessen.

	Inversions-signal	Subjekt	Verb	Subjekt	Angabe	obligatorische Ergänzung	Verb
a)	*Was*		*hast*		*am Wochenende*		*gemacht?*
b)							
c)							
d)							
e)							
f)							

6. Ergänzen Sie ‚da', ‚das' oder ‚deshalb'.

a) ○ Wir waren doch verabredet.
b) ○ Wo warst du gestern?
c) ○ Was hast du am Wochenende gemacht?
d) ○ Ich bin gestern lange in der Uni gewesen.
e) ○ Wollen wir sofort anfangen?
f) ○ Er wohnt doch noch in Bonn? Oder?
g) ○ Warum ist er nicht hier geblieben?
h) ○ Die Italiener haben wirklich sehr gut gespielt.
i) ○ Kommst du morgen mit?
j) ○ Er ist Kaufmann geworden.

□ *Das* habe ich total vergessen.
□ _____ war ich im Kino.
□ _____ habe ich zu Hause gearbeitet.
□ _____ habe ich nicht gewußt.
□ _____ bin ich doch früher gekommen.
□ _____ weiß ich nicht.
□ _____ verstehe ich auch nicht.
□ _____ sind sie auch Fußballweltmeister geworden.
□ _____ kann ich leider nicht.
□ _____ hat mir Jens schon erzählt.

7. Bilden Sie Sätze.

a) Paul und Paula gehen ins Reisebüro. Sie wollen nach Paris fahren.
   Paul und Paula gehen ins Reisebüro. Denn sie wollen nach Paris fahren.
   Paul und Paula gehen ins Reisebüro. Sie wollen nämlich nach Paris fahren.

b) Nachts kann er nicht schlafen. Er hat immer Kopfschmerzen.

_____

_____

Ebenso:
c) Jens kann nichts essen. Er hat Magenschmerzen.
d) Herr Kahl schläft im Kino. Der Film ist langweilig.
e) Gestern war ich den ganzen Tag im Büro. Ich hatte viel Arbeit.
f) Helga kann nicht mitkommen. Sie ist schon verabredet.
g) Jochen kann jetzt schwimmen. Er hat schwimmen gelernt.

Lektion 10

B1/2
GR

8. Was wissen Sie über die Person? Schreiben Sie.

treffen	~~schreiben~~	segeln	machen	leben	spielen	haben

arbeiten   fliegen   heiraten   studieren   gewinnen   sterben

schwimmen   bekommen   machen   lieben   fahren   werden

a) Bertolt Brecht: _Er hat_ die „Dreigroschenoper" _geschrieben._
b) Johann Wolfgang von Goethe: _____ eine Reise nach Italien _____
c) Ludwig van Beethoven: _____ 1827 in Wien _____
d) Michail Bakunin: _____ in Deutschland, Frankreich, der Schweiz und in Rußland _____
e) F. Bormann, J. Lovell, W. Anders: _____ 1968 auf den Mond _____
f) Kleopatra: _____ Antonius 37 v. Chr. _____
g) Jomo Kenyatta: _____ in Moskau und London _____
h) Katarina II: _____ viele Männer _____
i) Honoré de Balzac: _____ immer wenig Geld _____
j) Sir Francis Drake: _____ von 1577–1580 um die Welt _____
k) Fjodor M. Dostojewskij: _____ sehr gern Roulette und Karten _____
l) Alexander von Humboldt: _____ 1799 nach Südamerika _____
m) Duke Ellington: _____ Jazz Musik _____
n) Marlene Dietrich: _____ Amerikanerin _____
o) Alexander Kortschnoi: _____ 1981 die Schachweltmeisterschaft _____
p) Maria Theresia: _____ 16 Kinder _____
q) Mark Spitz: _____ 100 m Butterfly in 54,27 Sekunden _____
r) Richard M. Nixon: _____ 1969 Breschnjew in Moskau _____
s) Albert Schweitzer: _____ von 1924–1965 in Afrika _____

B1/2
BD

9. Was können Sie antworten?

a) *Wir waren verabredet.*
   Ⓐ Tut mir leid. Das habe ich vergessen.
   Ⓑ Wirklich?
   Ⓒ Wo warst du Montag abend?

b) *Und was war Dienstag abend?*
   Ⓐ Das war Dienstag abend.
   Ⓑ Da war ich nicht da.
   Ⓒ Da habe ich Gerd getroffen.

c) *Wo warst du gestern?*
   Ⓐ Im Kino. Warum?
   Ⓑ Das tut mir leid.
   Ⓒ Das habe ich vergessen.

d) *Was hast du da gemacht?*
   Ⓐ Ja.
   Ⓑ Schach gespielt.
   Ⓒ Nichts.

e) *Wir haben uns lange nicht gesehen.*
   Was hast du die ganze Zeit gemacht?
   Ⓐ Ich habe viel gearbeitet.
   Ⓑ Ich war drei Wochen in Hamburg.
   Ⓒ Ich habe gerade telefoniert.

f) *Haben Sie gestern auch ferngesehen?*
   Ⓐ Ja, morgen.
   Ⓑ Ja, den ganzen Abend.
   Ⓒ Nein, ich war im Theater.

10. Schreiben Sie Ihr Tagebuch.

Das ist Sybilles Tagebuch.

B1/2
SA

Montag, 7.3.
mit Gerd essen gegangen, war phantastisch, zu spät zur Arbeit gekommen

Dienstag, 8.3.
die Eltern besucht, Claudia getroffen, hatte keine Zeit, mit Gerd schwimmen gegangen

Mittwoch, 9.3.
zu Hause gewesen und ferngesehen, war sehr langweilig, früh schlafen gegangen

Donnerstag, 10.3.
viel gearbeitet, im Kino gewesen, Film war sehr gut, mit Claudia einen Wein getrunken

Freitag, 11.3.
schon um 14.00 Uhr zu Hause gewesen, eingekauft, Englisch gelernt, ferngesehen

Samstag, 12.3.
lange geschlafen, lange gefrühstückt, mit Gerd an die Ostsee gefahren, um 18.00 Uhr wieder zu Hause gewesen

Sonntag, 13.3.
spät aufgestanden, Musik gehört, mit Claudia spazierengegangen, abends mit ihr Schach gespielt

Ihr Tagebuch

Montag,

Dienstag,

Mittwoch,

Donnerstag,

Freitag,

Samstag,

Sonntag,

105

Die Geschwister Scholl

1943: In Deutschland ist Krieg. Die Propaganda des Nationalsozialismus und die polizeiliche Kontrolle funktionieren sehr gut. Da gibt es plötzlich in München, Wien und anderen Städten trotzdem Flugblätter.
Die Menschen lesen: „Hitler kann den Krieg nicht gewinnen – die nationalsozialistische Propaganda hat nicht recht."

Wer sind die Autoren der Flugblätter? Studenten aus München. Hans Scholl organisiert 1942 mit seinen Freunden und seiner Schwester Sophie den passiven Widerstand gegen Hitler. Die Studentengruppe heißt „Die weiße Rose". Hans Scholl, geboren 1918, studiert Medizin und Sophie, geboren 1921, Biologie und Philosophie. 1940 ist Hans Soldat in Frankreich, 1941 studiert er weiter; er ist halb Soldat – halb Student, seine Freunde Christoph Probst und Alexander Schmorell auch. In München trifft Hans Scholl seine Freunde wieder. Sie sprechen zusammen, schreiben Flugblätter und schicken sie in andere Städte. Am 18. 2. 1943 gehen Hans und Sophie Scholl morgens mit Flugblättern im Koffer in die Universität. Die Studenten sind noch in den Vorlesungen, und die beiden können die Flugblätter verbreiten. Plötzlich fliegen auch Flugblätter durch den Innenhof der Universität. Sophie und Hans wollen schnell gehen – aber leider hat sie jemand gesehen. Der Hausmeister, ein „Nazi", ruft die Gestapo und die nimmt Hans und Sophie sofort mit. Nach vier Tagen verurteilt man sie und ihren Freund Christoph Probst zum Tode. Sie sterben am 22. 2. 1943.

TIETZ   EHAPE   WOHLWERT

Deshalb:
Deutscher! kaufe nur in deutschen Geschäften!

Der Führer befiehlt: Glauben, gehorchen und kämpfen!

Reproduktion eines Plakats aus dem Jahre 1933

unbestimmte zahlwörter

alle haben gewußt
viele haben gewußt
manche haben gewußt
einige haben gewußt
ein paar haben gewußt
wenige haben gewußt
keiner hat gewußt

Rudolf Otto Wiemer

In 8 Monaten
2¼ Millionen Volksgenossen in Arbeit u. Brot gebracht!

Den Klassenkampf und seine Parteien beseitigt!
Den Bolschewismus zerschlagen!
Die Kleinstaaterei überwunden!

Ein Reich der Ordnung und Sauberkeit aufgebaut!

Ein Volk —
Ein Reich —
Ein Führer!

Das sind die Leistungen der Regierung Hitler!

Hitler will

Gleichberechtigung und einen Frieden der Ehre!

Deutschlands Ehre ist Deine Ehre!

Deutschlands Schicksal ist auch Dein Schicksal!

Stime mit Ja!
Wähle zum Reichstag Adolf Hitler und seine Getreuen!

Herausgeber: Gau München Oberbayern der N.S.D.A.P.   gez.: Otto Rippold

vater komm erzähl vom krieg
vater komm erzähl wiest eingrückt bist
vater komm erzähl wiest gschossen hast
vater komm erzähl wiest verwundt wordn bist
vater komm erzähl wiest gfallen bist
vater komm erzähl vom krieg

ernst jandl

manche meinen

lechts und rinks

kann man nicht

velwechsern.

ernst jandl   werch ein illtum!

Schlüssel

Anmerkungen zum Lösungsschlüssel

1. Die meisten Übungen (besonders die Grammatikübungen) haben eindeutige Lösungen.

2. Bei den Wortschatzübungen sind nur Lösungen angegeben, die sich auf den aktiven Wortschatz des Kursbuches beschränken. Sie können ergänzt werden durch weiterer Wortschatz aus dem ungesteuerten Fremdsprachenerwerb der Lerner. Diese Möglichkeit wird angedeutet durch „. . .“

3. Bei einigen Bedeutungsübungen ist es möglich, daß Lehrer und bestimmt auch einige Lerner weitere Lösungen finden. Der Lösungsschlüssel ist jedoch abgestimmt auf Wortschatz, Grammatik und Situation der jeweiligen Lektion im Kursbuch, da die Lerner normalerweise, besonders im Ausland, nur auf dieser Grundlage entscheiden können. Diese Übungen sind durch das Zeichen ‚■‘ gekennzeichnet.

4. Für einige Bedeutungsübungen gibt es keinen Schlüssel, da sie nur individuelle Lösungen zulassen.

1

1. **a)** (Guten) Morgen, Tag, Abend **b)** (Danke,) gut. Danke, es geht. Schlecht.

2. Kolumbien, Argentinien, Algerien, Finnland, Türkei, Griechenland, Frankreich, Kanada, Kenia, Nigeria, Japan, Indien

3. **a)** heiße **b)** ist **c)** heißen, verstehe, Buchstabieren **d)** ist, Sind/Kommen, aus

4. **a)** heißen, sein **b)** sein **c)** kommen, sein **d)** heißen, sein **e)** kommen, sein **f)** heißen

5. **a)**

O	en
□	bin
O	
□	ist
	sind
O	bin
	e
□	e
O	ist
□	sind
O	en
□	en

b)

O	ist
□	ist
	t
O	t
□	ist
	en
O	e

6.

	ich	du	Sie	er (Peter)/sie (Luisa)	sie (Peter und Luisa)
kommen	komme	kommst	kommen	kommt	kommen
heißen	heiße	heißt	heißen	heißt	heißen
sein	bin	bist	sind	ist	sind

7. **b)** Woher kommt er? Er kommt aus Italien. **c)** Wie heißt sie? Sie heißt Tendera. **d)** Heißen Sie Jimenez? Nein, ich heiße El Tahir.

	Inversionssignal	Subjekt	Verb	Subjekt	Angabe	obligatorische Ergänzung
a)			Kommen	Sie		aus Peru?
		Ich	komme			aus Kuba.
b)	Woher		kommt	er?		
		Er	kommt			aus Italien.
c)	Wie		heißt	sie?		
		Sie	heißt			Tendera.
d)			Heißen	Sie		Jimenez?
		Ich	heiße			El Tahir.

8. **b)** Kommt/Ist **c)** Woher **d)** Wer **e)** Wer **f)** Woher **g)** Wie **h)** Ist

Schlüssel

9.

A	B	C	D	E	F
2c, 4a, 4b	4b	1a, 1b, 2d	1a, 1b, 5f	1a	4a, 4b, 3e

10. a) A **b)** B **c)** C **d)** A **e)** A **f)** A

11. a) B **b)** C **c)** C **d)** A **e)** A **f)** A

12. b) Das sind Sigmund und Anna Freud. Sie kommen aus Österreich. **c)** Das ist Herbert von Karajan. Er kommt aus Österreich. **d)** Das ist Romy Schneider. Sie kommt aus der Bundesrepublik. **e)** Das ist Günter Grass. Er kommt aus der Bundesrepublik. **f)** Das ist Anna Seghers. Sie kommt aus der DDR.

13. a) ☐ Ja, das ist er.
- **b)** O Entschuldigung, heißen Sie Knapp?   **c)** O Guten Tag, Frau Sommer. Wie geht es Ihnen?
   ☐ Nein, mein Name ist Kraus.   ☐ Danke, es geht.
   d) O Woher kommen Sie?   **e)** O Ich bin Lopez Martinez Camego.
   ☐ Aus Paris. Und Sie?   ☐ Wie bitte? Wie heißen Sie?
   O Aus Genua.   O Lopez Martinez Camego.

14. a) O Woher kommen Sie? ☐ Aus Frankreich. Und Sie? O (Ich komme) aus England.
   b) O Guten Tag. Mein Name ist / Ich heiße El Tahir.   **c)** O Guten Tag. Mein Name ist / Ich heiße Jimenez.
   ☐ Guten Tag. Mein Name ist / Ich heiße Tendera.   ☐ Guten Tag. Mein Name ist / Ich heiße Young.
   O Kommen/Sind Sie aus Spanien?   O Kommen/Sind Sie aus Japan?
   ☐ Nein, (ich komme/bin) aus Italien. Und Sie?   ☐ Nein, (ich komme/bin) aus Korea. Kommen Sie aus Spanien?
   O (Ich komme/bin) aus Tunesien.   O Nein, (ich komme/bin) aus Peru.

15. b) achtundachtzig **c)** einunddreißig **d)** neunzehn **e)** dreiunddreißig **f)** zweiundfünfzig **g)** dreizehn
   h) einundzwanzig **i)** fünfundfünfzig **j)** dreiundneunzig **k)** vierundzwanzig **l)** sechsundsechzig
   m) siebzehn **n)** fünfundneunzig

2

1. b) Siemens **c)** Österreich **d)** Köln **e)** Monat **f)** Kauffrau **g)** Mannheim **h)** Levent

2. a) Ich bin Lehrerin.   **e)** Woher kommt er?
   b) Er heißt Rodriguez.   **f)** Ist er verheiratet?
   c) Was ist er von Beruf?   **g)** Das ist Klaus Henkel.
      Ist er von Beruf Mechaniker?   **h)** Herr Ergök kommt aus der Türkei.
   d) Bülent ist Automechaniker.

3. b) Wo wohnt sie? **c)** Was ist er von Beruf? Was macht er? **d)** Woher kommt er? **e)** Wer ist Ingenieurin?
   f) Wo arbeitet sie? **g)** Wie heißt er?

4. b) Heißt sie ...? **c)** Wie heißen Sie?/Wie ist Ihr Name? **d)** Was sind Sie von Beruf?/Was machen Sie?
   e) Was ist sie von Beruf? / Was macht sie? **f)** Arbeitet sie in Zimmer ...? **g)** Ist er in Zimmer ...?
   h) Arbeiten Sie in Zimmer 3?

5.

	Inversions-signal	Subjekt	Verb	Subjekt	Angabe	obligatorische Ergänzung	Verb
a)			Sind	Sie	hier	neu?	
b)		Ich	arbeite		hier schon	4 Monate.	
c)	Was		machen	Sie	hier?		
d)		Ich	verstehe		nicht.		
e)		Ich	bin			Kaufmann von Beruf.	
f)		Sie	ist		erst	38 Jahre alt.	
g)			Ist	er		verheiratet?	
h)		Dieter	arbeitet		nicht.	in Köln.	

6. **a)** erst **b)** erst – schon **c)** erst – schon **d)** schon – erst **e)** schon – erst **f)** schon – erst **g)** schon – erst

7. **a)** C **b)** C **c)** A **d)** B **e)** B **f)** A **g)** A **h)** C

8. ○ Guten Tag. Ist hier noch frei?
■ □ Natürlich, bitte.
○ Sind Sie hier neu?
□ Nein, ich arbeite hier schon 6 Monate.
○ Und was machen Sie?
□ Ich bin Kaufmann. Und Sie?
○ Ich bin Ingenieur.

9.

	a)	**b)**	**c)**
heißen?	Lore Sommer	Klaus Henkel	Manfred Bode, Monika Sager, Karla Reich
wohnen?	in Hamburg	in Wien	in Berlin
Beruf?	Grafikerin	Chemiker	M. B. ist Lehrer, K. R. Sekretärin, M. S. studiert Medizin
verheiratet? ledig?	verheiratet	ledig	ledig
Kinder?	2	—	—

a) Das ist Lore Sommer. Sie wohnt in Hamburg. Sie ist verheiratet und hat zwei Kinder. Sie ist Grafikerin.
b) Das ist Klaus Henkel. Er wohnt in Wien und ist Chemiker. Er ist ledig.
c) Das sind Manfred Bode, Karla Reich und Monika Sager. Sie wohnen in Berlin. Manfred ist Lehrer, Monika studiert Medizin und Karla ist Sekretärin. Sie sind ledig.
d) Ich bin (heiße) . . . Ich wohne in . . . und bin . . . Ich bin verheiratet/ledig und habe . . . Kinder.

10. **a)** Yasmin | **b)** in Paris | **c)** aus Ghana | **d)** Französisch | **e)** in Paris
■ Glock   in München   aus der Türkei   Portugiesisch   bei Oslo
    Dagmar   in Kanada   aus (den) USA   Türkisch   in München
    Young   in der BRD   aus China   Englisch   bei Genua
                                aus Mexiko   Vietnamesisch   in Kanada
                                                                 in der BRD
                                                                 bei Wien

f) Französisch | **g)** Ingenieur | **h)** in Paris | **i)** Französisch Englisch
   Portugiesisch   Franzose   bei Oslo   Chemie   Deutsch
   Türkisch   Krankenschwester in München   Portugiesisch Vietnamesisch
   Englisch   Lehrer   bei Genua   Elektrotechnik Medizin
   Vietnamesisch   Studentin   in Kanada   Türkisch   Biologie
                       Spanier   in der BRD   Politik
                                        bei Wien

11. **c)** Beruf **d)** studieren **e)** heißen **f)** Land **g)** wo? **h)** wie? **i)** geboren **j)** wie?

12. **a)** Arbeitest **b)** Wohnst
    arbeite   wohne
    arbeitet   Wohnen
    arbeiten   wohnen

13.

	ich	du	Sie	er Rolf	sie Linda	sie R+L
a)		X				X
b)			X	X		
c)	X					

	ich	du	Sie	er Rolf	sie Linda	sie R+L
d)		X				
e)			X			X
f)		X				
g)		X				

	ich	du	Sie	er Rolf	sie Linda	sie R+L
h)				X	X	
i)				X	X	
j)			X			X
k)	X			X	X	

Schlüssel

14.

	Er/Sie kommt aus . . .	Er/Sie ist . . .	Er/Sie spricht . . .
a)	der Bundesrepublik Deutschland	Deutsche	Deutsch
b)	England	Engländerin	Englisch
c)	Frankreich	Franzose	Französisch
d)	Tunesien	Tunesier	Arabisch/Französisch
e)	Peru	Peruanerin	Spanisch
f)	Italien	Italienerin	Italienisch
g)	(den) USA	Amerikaner	Englisch
h)	Korea	Koreanerin	Koreanisch
i)	Türkei	Türke	Türkisch

15. a) Er ist Spanier.
Er kommt aus Spanien.
    b) Sie ist Japanerin.
Sie kommt aus Japan.
    c) Er ist Amerikaner.
Er kommt aus (den) USA.
    d) Er ist Grieche.
Er kommt aus Griechenland.

16.

	Inversions-signal	Subjekt	Verb	Subjekt	Angabe	obligatorische Ergänzung	Verb
a)			Sind	Sie	hier	neu?	
b)		Ich	lerne		hier	Deutsch.	
c)		Ich	möchte		hier	Deutsch	lernen.
d)			Möchte	Bernd		in Köln	wohnen?
e)		Levent	arbeitet			in Essen.	
f)	Wo		möchten	Sie			wohnen?
g)		Lore	wohnt		schon 4 Jahre	in Hamburg.	
h)	Was		machen	Sie	denn hier?		

17. a) C **b)** A **c)** C **d)** D **e)** B **f)** C **g)** A **h)** A
18. a) A **b)** A **c)** A **d)** B **e)** C **f)** C **g)** B **h)** A

19.

A	B	C	D	E	F	G	H	I	J	K	L
1, 14	9	13	11, 12	10, 15	3	2, 4	2, 5	1, 7	6, 11	8	14, 16

20. a) ○ Hallo, Yasmin.
     □ Hallo, Manfred.
     ○ Wie geht's?
     □ Danke gut. Und dir?
     ○ Ganz gut. Was machst du denn hier?
     □ Ich lerne hier Englisch.

b) ○ Guten Tag, Herr Kurz.
    □ Guten Tag, Herr Ergök.
    ○ Wie geht es Ihnen?
    □ Danke gut. Und Ihnen?
    ○ Ganz gut. Was machen Sie denn hier?
    □ Ich lerne hier Englisch.

1.

```
A W O H N Z I M M E R M N V W X F N T T O W A S C H B E C K E N D T I E
R M L A W A E D T V B W O G V A M Ö B E L P K S J T O ß U F C B H O V A
T M O U B U U D L X E L P G M D D E O P T F S C U N G Z Ö L Y G E I W Z
Q I R S T U H L D H C L I H I C U U N P S M L H V B N I B U N G A L O W
S K S I I M B A D E W A N N E Y S M K I N D E R Z I M M E R S U D E H G
P Ü J H S F Z Q Y G F M O B T D C C L C S G K A W I H M T X Z F X T N Y
R C O U C H X R K B I P J R E I H E N H A U S N W P S E S S E L B T U J
N H O C H G B E T T J E T S Y S E K I R H N Q K V Q L R D Y A U W E N K
O E D P Y E A C H K U A F J M Z R Q J L P R A P R Q M W X C Z R C Y G Z
```

2. a) ein Tisch / kein Schrank / der Tisch
eine Lampe / kein Bett / der Stuhl
ein Stuhl / keine Dusche / das Waschbecken
ein Waschbecken / ...
ein Teppich

b) eine Couch / keine Lampe / die Couch
ein Sessel / kein Teppich / der Sessel
ein Schrank / kein Tisch
...

3. b) □ der **c)** □ – **d)** □ ein **e)** □ – **f)** □ ein **g)** □ der **h)** □ –
○ die ○ Der ○ ein ○ Die ○ ein ○ – ○ ein

4. b) Nein **c)** Doch **d)** Ja **e)** Doch **f)** Doch **g)** Nein **h)** Ja **i)** Nein

5. b) Was ist das? **c)** Was ist das? **d)** Wer ist das? **e)** Wer ist das? **f)** Was **g)** Wer **h)** Wer **i)** Was

6. b) schön **c)** gemütlich **d)** schlecht **e)** unpraktisch **f)** klein **g)** unmodern **h)** bequem

7. Zimmer: Schlafzimmer, Eßzimmer, Wohnzimmer, Kinderzimmer, Toilette, Flur, Badezimmer, ...

8. b) Wo liegt es? **c)** Wer wohnt da? **d)** Wieviel (Was) kostet sie?/Wie teuer ist sie? **e)** Wie groß ist sie?/
Wieviel Quadratmeter hat sie? **f)** Wieviel Zimmer hat sie? **g)** Wie ist sie? **h)** Was ist sie (von Beruf)?/
Was macht sie? **i)** Woher kommt/ist sie? **j)** Wer ist Österreicher? **k)** Was ist er (von Beruf)?/Was macht
er?

9. b) ○ ... das Bett ...? □ ... das ... **c)** ○ ... die Sessel ...? □ ... die ...
○ ... der Tisch ...? □ Der ... ○ ... die Couch ...? □ Die ...
d) ○ ... die Stühle ...? □ ... die ... **e)** ○ ... der Teppich ...? □ ... der ...
○ ... der Schrank ...? □ Der ... ○ ... die Lampe ...? □ Die ...

10. b) ○ Das Zimmer (der Bungalow, die Wohnung) ... das (der, die) ...?
□ ... das ...
c) ○ Der Bungalow (die Wohnung) ... der (die) ...?
○ ... er (sie) ...
○ ... er (sie)?
d) ○ Die Wohnung (das Zimmer, der Bungalow) ... die (das, der) ...?
○ ... sie (es, er)?
○ ... sie (es, er)?

11.

	Artikel+Nomen	Definitivpronomen	Personalpronomen
Maskulinum	der Bungalow	der	er
Femininum	die Wohnung	die	sie
Neutrum	das Zimmer	das	es

12. a) B **b)** C **c)** B **d)** C **e)** A **f)** A

13. a) B **b)** B **c)** C **d)** A **e)** C **f)** C **g)** B **h)** A

14.

A	B	C	D	E	F	G	H	I
5	2	7	1	3	2	6	4	2, 8

Schlüssel

15.
○ Die Wohnung ist toll.
■ □ Das finde ich auch.
○ Wieviel kostet die denn?
□ Nur 220 Mark
○ Das ist billig. Und wie groß ist sie?
□ 42 Quadratmeter.
○ Und wie sind die Verkehrsverbindungen hier?
□ Nicht so gut.
○ Sag mal: Sind die Möbel neu?
□ Nein, nur die Sessel.
○ Die sind sehr schön und auch bequem.

○ Die Wohnung ist toll.
□ Das finde ich auch. Und nicht teuer.
○ Wieviel kostet die denn?
□ Nur 220 Mark.
○ Das ist billig. Und wie groß ist sie?
□ 42 Quadratmeter.
○ Sag mal: Sind die Möbel neu?
□ Nein, nur die Sessel.
○ Die sind sehr schön und auch bequem.
  Und wie sind die Verkehrsbedingungen hier?
□ Nicht so gut.

16. Individuelle Lösung

4

1. b) Gemüse **c)** Kaffee **d)** Tasse **e)** Gabel **f)** Bier

2. b) essen **c)** süß **d)** Mittagessen **e)** Nachtisch **f)** Fleisch

3. a) Saft, Bier, Wein, Mineralwasser, Tee, Kaffee, Apfelsaft, Milch, . . .
b) Fleisch, Kotelett, Fisch, Brot, Steak, Suppe, Kuchen, Reis, Kartoffeln, Marmelade, Eis, . . .
c) scharf, süß, bitter, kalt, alt, fett, sauer, frisch, gut, schlecht, . . .

4. Orangenmarmelade, Gemüsesalat, Gemüsesuppe, Wurstsalat, Wurstbrot, Käsebrot, Apfelsaft, Apfelmarmela-de, Rindersteak, Kartoffelsalat, Kartoffelsuppe, Aprikosensaft, Aprikosenmarmelade, Tomatensalat, Toma-tensaft, Tomatensuppe, Tomatenbrot, Fischsalat, Fischsuppe, Fischbrot, Brotsuppe, . . .

5. b) 4 Stück(e) **c)** 1 Flasche/1 Glas **d)** 3 Flaschen/3 Gläser/3 Glas **e)** 1 Flasche/1 Glas **f)** 2 Flaschen/ 2 Glä-ser/ 2 Glas **g)** 5 Tassen/ 5 Gläser/ 5 Glas **h)** 2 Tassen/ 2 Gläser/ 2 Glas/ 2 Flaschen **i)** 1 Flasche/1 Glas
j) 2 Stück(e)

6.

```
A X S E C U X A N M A R M E L A D E O A D K A F F E E D G B O H N E N C
S A F T G V B D O I K E E L Ö S N C B G X U L K O H H A A X B F P M Q P
T C B F H G A B E L J I S X F M Y F V P B C K V N X B W A S S E R Q A J
E I R L S J W U H C I S S M F G K I P A Q H Ä H N C H E N F T F R D O O
A T O Z A L N T G H E D E V E E C S U P P E S J U W I I E J Y B B O C G
K O T E L E T T J R Q C R B L M K C Z F H N E K D E G N A C H T I S C H
B L U Q A M E E T L I A Z I V Ü F H D E I S L M E H L D W E Z S D E N U
W U R S T O E R I N D F L E I S C H S L T M Y Ö L V C R M X Z U C K E R
M W P R S E F W A U I E Y R V E G J E H L F U K N T G L Z T H J U S I T
```

7.

		a)	b)	c)	d)	e)	f)	g)	h)	i)	j)	k)	l)	m)	n)
A	Glas			X	X		X	X				X			X
B	Dose	X					X	X							
C	Flasche	X			X		X	X							X
D	Becher			X	X		X	X		X		X		X	X
E	Packung		X			X		X	X	X	X	X	X	X	X

8. b) Stücke **c)** Getränke **d)** Messer **e)** Gabeln **f)** Eier **g)** Suppen **h)** Gläser **i)** Äpfel **j)** Tassen **k)** Fi-sche **l)** Säfte **m)** Koteletts **n)** Dosen **o)** Flaschen **p)** Steaks **q)** Kartoffeln **r)** Kuchen **s)** Löffel
t) Hähnchen **u)** Tomaten

9. a) ein Kotelett
Kartoffelsalat
ein Brötchen
ein Bier

b) Pommes frites
eine Gulaschsuppe
einen Kaffee

c) eine Cola
ein Hähnchen
ein Eis

d) einen Apfelsaft
ein Käsebrot
einen Kuchen

10. a) ○ Ich möchte ein Stück Kuchen. Und du?
□ Ich esse keinen Kuchen.
○ Und warum nicht?
□ Der ist zu süß.

b) ○ Ich möchte einen Wein. Und du?
□ Ich trinke keinen Wein.
○ Und warum nicht?
□ Der ist zu teuer.

Schlüssel

c) ○ Ich möchte eine Gulaschsuppe. Und du?
    □ Ich esse keine Gulaschsuppe.
    ○ Und warum nicht?
    □ Die ist zu scharf.

d) ○ Ich möchte ein Eis. Und du?
    □ Ich esse kein Eis.
    ○ Und warum nicht?
    □ Das macht dick.

11. b) Er **c)** Es **d)** Es, es **e)** Sie, sie **f)** Es, es **g)** Sie **h)** Sie **i)** Er **j)** Es

12. □ nehme/esse ○ ist □ schmeckt, nimmst/ißt ○ nehme/esse □ schmeckt, Nimm/Iß ○ esse □ trinkst ○ nehme/trinke □ nehme/trinke

13. b) ○ . . . den Wein? **c)** ○ . . . das Eis? **d)** ○ . . . die Suppe? **e)** ○ . . . den Fisch? **f)** ○ . . . den Kaffee?
□ . . . das Bier.   □ . . . den Kuchen   □ . . . das Käsebrot.   □ . . . das Kotelett.   □ . . . den Tee.

14.

	Inversions-signal	Subjekt	Verb	Subjekt	Angabe	obligatorische Ergänzung	Verb
a)		Klaus	ißt			Brötchen.	
		Klaus	ißt		zum Frühstück	Brötchen.	
	Zum Frühstück		ißt	Klaus		Brötchen.	
	Brötchen		ißt	Klaus	zum Frühstück.		
b)		Renate	trinkt			Bier	
		Renate	trinkt		zum Abendbrot	Bier.	
	Zum Abendbrot		trinkt	Renate		Bier.	
	Bier		trinkt	Renate	zum Abendbrot.		
c)		Herr Kurz	nimmt			Kuchen.	
		Herr Kurz	nimmt		später	Kuchen.	
	Später		nimmt	Herr Kurz		Kuchen.	
	Kuchen		nimmt	Herr Kurz	später.		
d)		Er	möchte			Milch	trinken.
		Er	möchte		lieber	Milch	trinken.
	Milch		möchte	er	lieber		trinken.
	Lieber		möchte	er		Milch	trinken.

15. a) ○ Was bekommen Sie?
    □ Eine Rinderroulade bitte.
    ○ Mit Reis oder Kartoffeln?
    □ Mit Kartoffeln.
    ○ Und was bekommen Sie?
    △ Gibt es eine Gemüsesuppe?
    ○ Ja, die ist sehr gut.
    △ Dann bitte eine Gemüsesuppe und ein Glas Wein.
    ○ Und was möchten Sie trinken?
    □ Eine Flasche Mineralwasser.

b) ○ Bezahlen bitte!
    □ Zusammen?
    ○ Nein, getrennt.
    □ Was bezahlen Sie?
    ○ Die Rinderrouladen und das Mineralwasser.
    □ Das macht 17,50 DM.
    Und Sie bezahlen den Wein und die Gemüse-suppe?
    △ Ja, richtig.
    □ 9,60 DM bitte.

16. a) Wasser, Kartoffeln, Eier, Milch, Tee, Gemüse, Kaffee, Fleisch, Fisch . . . **c)** Kartoffeln, Eier, Kotelett, Fleisch, Fisch, Hähnchen . . . **d)** Suppe, Salat, Tee, Käsebrot, Wurstbrot, Kaffee, Kuchen, Marmelade, . . .

17. b) nicht, keinen **c)** keinen **d)** nicht **e)** kein **f)** nicht

18.

A	B	C	D	E	F	G	H	I	J	K	L
3	1, 10, 12	12	1	4	2	5	7	11	6	8	9

19. a) C **b)** B **c)** C **d)** A **e)** B **f)** A

20. a) A/B **b)** B/C **c)** C **d)** A/B **e)** C **f)** A/B

Schlüssel

21. a) O Guten Appetit.
- □ Danke.
- O Schmeckt es Ihnen?
- □ Danke, sehr gut. Wie heißt das?
- O Pichelsteiner Eintopf.
- □ Das kenne ich nicht. Was ist das?
- O Schweinefleisch mit Kartoffeln und Gemüse.
- □ Das schmeckt ja prima.
- O Nehmen Sie doch noch etwas.
- □ Ja gern. Sie kochen wirklich gut.

b) O Guten Appetit.
- □ Danke gleichfalls.
- O Wie schmeckt's?
- □ Toll. Wie heißt das?
- O Falscher Hase.
- □ Was ist denn das?
- O Falscher Hase? Das ist Hackfleisch mit Ei und Brötchen.
- □ Das schmeckt ja phantastisch.
- O Möchtest du noch etwas?
- □ Nein danke, ich habe noch genug.

5

1. Stadt: Restaurant, Nachtclub, Bar, Schwimmbad, Sportzentrum, Bibliothek, Bank, Geschäfte, Krankenhaus, Kino, Café, Metzgerei, Friseur, . . .

2. b) einkaufen **c)** fernsehen **d)** Briefe schreiben **e)** flirten **f)** arbeiten **g)** Tischtennis spielen **h)** schlafen **i)** Musik hören **j)** tanzen **k)** lesen **l)** spazierengehen **m)** fotografieren **n)** trinken **o)** kochen **p)** aufräumen **q)** schwimmen **r)** essen **s)** Fußball spielen **t)** bedienen

3. b) Um 7.30 Uhr räumt sie auf. **c)** Um 8.00 Uhr geht sie arbeiten. **d)** Um 10.30 Uhr macht sie Pause. **e)** Um 12.00 Uhr ißt sie (Mittag). **f)** Um 16.45 Uhr geht sie einkaufen. **g)** Um 19.00 Uhr ißt sie Abendbrot. **h)** Um 20.00 Uhr sieht sie fern. **i)** Um 23.00 Uhr geht sie schlafen.

4. b) O Bernd spielt Tischtennis. Möchtest du auch Tischtennis spielen?
- □ Nein, ich spiele lieber Fußball.

c) O Juan räumt die Küche auf. Möchtest du auch die Küche aufräumen?
- □ Nein, ich gehe lieber weg.

d) O Carlo hört Musik. Möchtest du auch Musik hören?
- □ Nein, ich gehe lieber spazieren.

e) O Robert geht essen. Möchtest du auch essen gehen?
- □ Nein, ich gehe lieber tanzen.

f) O Levent kauft ein. Möchtest du auch einkaufen?
- □ Nein, ich gehe lieber schwimmen.

g) O Linda sieht fern. Möchtest du auch fernsehen?
- □ Nein, ich spiele lieber Tischtennis.

5. c) In Buenos Aires ist es dann erst 9.00 Uhr morgens. **d)** In Helsinki ist es dann schon 2.00 Uhr nachmittags. **e)** In Karatschi ist es dann schon 5.00 Uhr nachmittags. **f)** In New York ist es dann erst 7.00 Uhr morgens. **g)** In Peking ist es dann schon 8.00 Uhr abends. **h)** In Hawaii ist es dann erst 2.00 Uhr nachts. **i)** In New Orleans ist es dann erst 6.00 Uhr morgens. **j)** In Wellington ist es dann schon 12.00 Uhr nachts. **k)** In Kairo ist es dann schon 2.00 Uhr nachmittags.

6. a) schon, Erst **b)** schon, noch, erst **c)** Erst, noch, schon

7.

	Das macht Babsi	Das schreibt Babsi
b)	Sie spielt um 11.30 Uhr Tischtennis.	Ich gehe morgens auf Deck spazieren.
c)	Sie schwimmt um 12.30 Uhr.	Man kann hier nicht schwimmen.
d)	Sie ißt um 13.00 Uhr Mittag. (Sie ißt sehr viel.)	Ich esse hier sehr wenig, denn das Essen schmeckt nicht gut.
e)	Sie trifft um 14.00 Uhr Männer und flirtet.	Man trifft keine Leute.
f)	Sie sieht um 16.00 Uhr einen Film (an).	Es gibt hier kein Kino.
g)	Sie tanzt um 22.00 Uhr.	Man kann hier nicht tanzen. Abends sehe ich viel fern.
h)	Sie trinkt um 1.00 Uhr im Nachtclub Wein.	Es gibt keinen Nachtclub. Ich gehe schon um 9.00 Uhr schlafen.

8. Individuelle Lösung

9.

		a)	b)	c)	d)	e)	f)	g)	h)	i)	j)	k)	l)	m)	n)	o)
A	Briefe						X	X								X
B	Chemie				X											
C	Deutsch		X		X	X	X	X	X	X						
D	ein Buch						X	X								X
E	einen Dialog		X	X			X	X	X			X				
F	die Küche								X							X
G	essen											X				
H	Kaffee	X		X											X	X
I	Leute												X			X
J	Musik			X	X			X								
K	Peter												X			X
L	tanzen		X									X				
M	Betten			X												X
N	schwimmen		X									X				
O	Suppe	X		X						X						
P	Tischtennis		X											X		
Q	einkaufen											X				
R	ins Kino											X				

10. **a)** essen, trinken . . . **b)** (Kuchen) essen, (Kaffee/Tee) trinken, Eis essen . . . **c)** schwimmen, Tischtennis spielen, Fußball spielen . . . **d)** schwimmen . . . **e)** tanzen, flirten, Musik hören, Leute treffen . . . **f)** trinken, tanzen, flirten, Musik hören, Leute treffen . . . **g)** Leute treffen, flirten, Musik hören, trinken . . . **h)** einkaufen . . . **i)** Bücher lesen . . .

11. **a) Wann?:** Samstag, nachmittags, nachts, mittags, sofort, nachher, abends, morgens, nächste Woche, um 3.00 Uhr, morgen, heute, morgen mittag (abend, nacht), heute mittag (abend, nacht), Samstag mittag (abend, nacht)
b) Wie lange?: ein Jahr, drei Stunden, einen Monat, eine Woche, drei Monate, einen Tag, vier Wochen, zwei Jahre, fünf Tage

12.

A	B	C	D	E	F	G	H	I	J	K
5	8	7	3	11	9	10	1	4	6	2

1) in den Pfälzer Weinkeller **2)** ins Central Kino **3)** ins „Clochard" **4)** ins Café Hag **5)** in die Buchhandlung Herbst **6)** in die Metzgerei Koch **7)** in die Diskothek Jet Dancing **8)** ins Restaurant Mekong **9)** ins Sportzentrum **10)** ins Schwimmbad **11)** in die Stadt-Bibliothek

13. **a)** in den Nachtclub, Weinkeller **b)** ins Schwimmbad, Café, „Clochard", Kino, Theater, Konzert, Sportzentrum **c)** in die Bibliothek, Buchhandlung, Bar, Diskothek, Metzgerei

14. **b)** Wann steht Frank auf? **c)** Was ist auf Deck 10? **d)** Wer ist Krankenschwester? **e)** Wohin gehen sie um 19.00 Uhr? **f)** Was fängt um 6.00 Uhr an? **g)** Wie lange möchte er schwimmen? **h)** Wo kann man Bier trinken? **i)** Wie lange arbeitet sie? (Wieviel Stunden arbeitet sie?) **j)** Wann fängt das Kino an? **k)** Wohin gehen sie heute abend?

15.

Infinitiv	können	müssen	fahren	lesen	nehmen	essen	arbeiten
ich	kann	muß	fahre	lese	nehme	esse	arbeite
du	kannst	mußt	fährst	liest	nimmst	ißt	arbeitest
Sie	können	müssen	fahren	lesen	nehmen	essen	arbeiten

Schlüssel

Infinitiv	können	müssen	fahren	lesen	nehmen	essen	arbeiten
er, sie, es, man	kann	muß	fährt	liest	nimmt	ißt	arbeitet
wir	können	müssen	fahren	lesen	nehmen	essen	arbeiten
ihr	könnt	müßt	fahrt	lest	nehmt	eßt	arbeitet
sie	können	müssen	fahren	lesen	nehmen	essen	arbeiten
Sie	können	müssen	fahren	lesen	nehmen	essen	arbeiten
Imperativ	(du)		Fahr!	Lies!	Nimm!	Iß!	Arbeite!
	(ihr)		Fahrt!	Lest!	Nehmt!	Eßt!	Arbeitet!
	(Sie)		Fahren Sie!	Lesen Sie!	nehmen Sie!	Essen Sie!	Arbeiten Sie

16.

	Inversions-signal	Subjekt	Verb	Subjekt	Angabe	obligatorische Ergänzung	Verb
a)	Auf Deck 4		spielen	Leute		Tischtennis.	
b)	Schwimmen		kann	man		auf Deck 3.	
c)	Um 5.00 Uhr		muß	Frank Michel			aufstehen.
d)	Um 6.00 Uhr		fängt	er	schon	seine Arbeit	an.
e)			Gehen	wir	nachher noch		essen?
f)			Gehen	wir	nachher noch		weg?
g)			Kommst	du	Dienstag		mit?
h)			Kannst	du	Dienstag		mitkommen?

17. b) zwanzig nach zehn **c)** fünf vor neun **d)** halb zehn **e)** fünf nach halb vier **f)** fünf vor halb vier
g) Viertel nach neun **h)** fünf nach fünf **i)** fünf vor halb zwölf **j)** Viertel vor acht **k)** zehn nach eins
l) Viertel nach zwei **m)** fünf nach halb neun **n)** zwanzig vor fünf **o)** Viertel vor zwölf

18. a) □ Ja gern. (Wann denn?) □ Wann denn? (Um wieviel Uhr?) □ Ja (gut). Das geht. **b)** ○ Kommst du
mit in die Diskothek? ○ Vielleicht Freitag abend. (Kannst du Freitag abend?) ○ Oder lieber Samstag? Geht
das? (Geht es Samstag?) ○ Um acht? (Geht es um acht?) **c)** ○ Möchtest du essen gehen? (Gehst du mit
essen?) □ Nein, ich habe keine Lust. ○ Wir können auch ins „Clochard" gehen. (Gehen wir ins „Clochard"?) **d)** ○ Wohin denn? □ Ich möchte keinen Wein trinken. (Ach nein, den finde ich nicht gut.) ○ Ja,
das ist nicht schlecht. Kann man da auch essen? □ Gut, gehen wir ins „Clochard".

19. b) muß **c)** muß **d)** muß, kann **e)** muß, kann **f)** muß, kann **g)** kann **h)** kann, muß **i)** kann, muß
j) kann, kann

20.

A	B	C	D	E	F	G	H	I
3, 5, 7, 9, 10	1, 3, 5, 7, 9, 10	6, 12	3, 5, 9	3, 12	1, 2, 4, 7, 8, 10	1, 2, 11	1, 5, 7, 8, 9, 10	6, 12

21.

	1	2	3	4	5	6	7	8	9
A	X				X	X	X		X
B			X	X					
C		X					X		

Schlüssel

6

1. **wo?:** Pension, Privatzimmer, Gasthof, Campingplatz, . . .
■ **wie?:** zentral, billig, teuer, ruhig, modern, schön, gemütlich, bequem, gut, . . . mit Dusche, mit Bad, mit Balkon, . . .

2. **a) Auto:** neu, häßlich, praktisch, laut, teuer, alt, modern, langsam, billig, schnell, bequem, . . . **Wohnung:** ruhig, neu, billig, teuer, zentral, häßlich, modern, gemütlich, schön, dunkel, laut, . . . **Kuchen:** frisch, alt, süß, . . . **Fleisch:** frisch, fett, warm, kalt, . . . **Hotel:** zentral, teuer, neu, modern, gemütlich, alt, ruhig, laut, schön, billig, . . . **Möbel:** schön, häßlich, bequem, praktisch, billig, teuer, neu, modern, alt, dunkel, . . . **Wein:** sauer, süß, kalt, warm, . . . **Leute:** schön, häßlich, laut, ruhig, alt, . . . **Suppe:** warm, scharf, kalt, sauer, süß, fett, . . . **Buch:** billig, teuer, neu, alt, . . . **Café:** neu, modern, alt, gemütlich, laut, ruhig, zentral, . . **Arbeit:** schön, bequem, neu, . . .
b) wohnen: schön, teuer, bequem, gemütlich, modern, laut, ruhig, zentral, . . . **fahren:** schnell, langsam, bequem, . . . **schmecken:** frisch, sauer, süß, scharf, . . . **essen:** billig, teuer, schnell, langsam, kalt, warm, fett, scharf, . . . **sprechen:** laut, ruhig, schnell, langsam, . . . **liegen:** zentral, ruhig, schön, laut, . . . **einkaufen:** billig, teuer, bequem, schnell, langsam, ruhig, . . . **lernen:** schnell, langsam, . . . **kochen:** fett, schnell, langsam, scharf, praktisch, billig, teuer, . . .

3. **b)** teuer **c)** warm **d)** langsam **e)** alt **f)** häßlich **g)** unbequem **h)** unmodern **i)** ruhig **j)** klein **k)** dunkel **l)** süß **m)** ungemütlich **n)** gut **o)** unpraktisch

4. **b)** Die Pension Hofmann liegt zentraler als der Campingplatz, aber am zentralsten liegt das Schloßhotel. **c)** Frankfurt ist größer als Bonn, aber am größten ist Hamburg. **d)** Die Universität Straßburg ist älter als die Universität Berlin, aber am ältesten ist die Universität Prag. **e)** Kotelett ist teurer als Hähnchen, aber am teuersten ist Steak. **f)** Marion kann schneller schwimmen als Veronika, aber am schnellsten kann Julia schwimmen. **g)** Monika möchte lieber ins Kino als tanzen gehen, aber am liebsten möchte sie Freunde treffen. **h)** Lucienne spricht besser Deutsch als Linda, aber am besten spricht Yasmin Deutsch. **i)** Thomas wohnt schöner als Bernd, aber am schönsten wohnt Jochen.

5.

bequem	bequemer	am bequemsten	warm	wärmer	am wärmsten
ruhig	ruhiger	am ruhigsten	kurz	kürzer	am kürzesten
klein	kleiner	am kleinsten	kalt	kälter	am kältesten
zentral	zentraler	am zentralsten	alt	älter	am ältesten
gemütlich	gemütlicher	am gemütlichsten	groß	größer	am größten
weit	weiter	am weitesten	teuer	teurer	am teuersten
neu	neuer	am neuesten	gut	besser	am besten
laut	lauter	am lautesten	gern	lieber	am liebsten
schlecht	schlechter	am schlechtesten	viel	mehr	am meisten

6. **a)** Sie ist billiger (gemütlicher, kleiner, . . .) als das Hotel Bellevue. Sie liegt zentraler als das Hotel Bellevue.
■ Die Verkehrsverbindungen sind besser. . . .
b) Es ist moderner (größer, bequemer . . .) als die Pension Fraunhofer. Es hat Zimmer mit Bad und Dusche. Es hat Lift und Garage. Es liegt ruhiger (schöner) als die Pension Fraunhofer. . . .

7. **b)** ins Theater gehen **c)** auf den Vesuv steigen **d)** ins Gebirge fahren **e)** an den Rhein fahren **f)** in die Türkei fahren **g)** an den Atlantik fahren **h)** ins Ruhrgebiet fahren **i)** nach Tokio fahren **j)** an die Mosel fahren **k)** nach Österreich fahren **l)** an die Nordsee fahren **m)** ins Café gehen **n)** auf den Nanga Parbat steigen **o)** in die Dolomiten fahren **p)** in die Diskothek gehen **q)** nach Linz fahren **r)** in die Berge fahren **s)** nach Japan fahren **t)** an den Bodensee fahren **u)** in die Alpen fahren.

8. **b)** ○ Ich möchte gerne schwimmen. □ Fahr doch ans Mittelmeer, da kann man gut schwimmen. **c)** Fahrt doch in den Harz, da . . . **d)** Geht doch in den Stadtpark, da . . . **e)** Fahr doch nach London, da . . . **f)** Fahrt doch an die Nordsee, da . . . **g)** Fahrt doch nach Dänemark, da . . . **h)** Fahr doch an den Bodensee, da . . . **i)** Geht doch ins China Restaurant Nanking, da . . . **j)** Geh doch in die Diskothek Jet Dancing, da . . . **k)** Geh doch ins Café Hag, da . . . **l)** Fahrt doch in die Dolomiten, da . . . **m)** Geht doch in den Pfälzer Weinkeller, da . . .

Schlüssel

9. b) □ Ich möchte an die Ostsee fahren. **c)** ○ Warum fahren Sie nicht an die Nordsee? **d)** □ Die Ostsee ist schöner. Und wohin fahren Sie? **e)** ○ Ich fahre in die Schweiz.

	Inversions-signal	Subjekt	Verb	Subjekt	Angabe	obligatorische Ergänzung	Verb
a)	Wo		machen	Sie	dieses Jahr	Urlaub?	
b)		Ich	möchte			an die Ostsee	fahren.
c)	Warum		fahren	Sie	nicht	an die Nordsee?	
d)		Die Ostsee	ist			schöner.	
	Und wohin		fahren	Sie?			
e)		Ich	fahre			in die Schweiz.	

10. a) C, **b)** A, **c)** B, **d)** A

11.

A	B	C	D	E	F	G	H	I	J
6	9	1	2	3	4	8	10	5	7

12. Individuelle Lösung

13. Auto: schnell, bequem, billig, laut, anstrengend, . . . **Bahn:** billig, ruhig, praktisch, bequem, gemütlich, günstig, . . . **Flugzeug:** teuer, laut, bequem, . . . **Bus:** billig, anstrengend, günstig, . . .

14. a) Bahn: fahren, Bahnfahrt, Eisenbahn, Zugverbindungen, umsteigen **b) Auto:** fahren, Autobahn, Auto-fahrt **c) Flugzeug:** fliegen, Flughafen, Maschine.

15.

		a	b	c	d	e	f	g	h	i	j	k	l	m
A	ein Hotelzimmer							X		X				X
B	Urlaub										X			X
C	eine Pension							X		X				X
D	den Zug				X			X		X				X
E	ein Auto				X			X		X			X	X
F	um 12.00 Uhr	X	X	X	X						X			
G	Bahn				X									
H	in Frankfurt		X	X			X				X			
I	auf Gleis 5		X	X			X				X			
J	einen Tag	X			X				X					
K	nach Toronto	X			X						X			
L	eine Wohnung							X		X			X	X
M	schön					X								
N	auf den Mt. Blanc	X			X									

16. a) schlafen gehen, arbeiten gehen, kommen, Zeit haben, Freunde treffen, ankommen, arbeiten, schlafen, aufstehen **b)** dauern, Zeit haben, schlafen

17. Individuelle Lösung

18. b) Welches . . .? Das . . . **c)** Welche . . .? Die . . . **d)** Welche . . .? Die . . . **e)** Welchen . . .? Den . . . **f)** Wel-ches . . .? Das . . . **g)** Welches . . .? Das . . . **h)** Welchen . . .? Den . . . **i)** Welche . . .? Die . . .

19. a) A **b)** A **c)** A **d)** C **e)** B **f)** C **g)** B **h)** C **i)** A **j)** C

20. a) A **b)** B **c)** C **d)** C **e)** B **f)** B **g)** A **h)** A

21. Individuelle Lösung

fotografieren	Musik	lesen, schreiben	spielen
Film, Fotoapparat, . . .	Plattenspieler, Kassettenrecorder, Radio, Kassetten, Radiorecorder, Autoradio, . . .	Buch, Briefpapier, Kugelschreiber, Schreibmaschine, . . .	Fußball, Tischtennisball, . . .
Sport	rauchen	essen und trinken	für die Wohnung
Tennisbälle, Fußball, Skier, . . .	Zigaretten, Feuerzeug, Aschenbecher, . . .	Cognac, Wein, Kuchen, . . .	Bild, Blumen, Fernseher, Toaster, Gläser, Töpfe, Mixer, Lampe, Uhr, . . .

2. a) Ihr kann man ein Feuerzeug (eine Reisetasche) schenken. Denn sie raucht viel (reist gern). Sie raucht viel (reist gern). Deshalb kann man ihr ein Feuerzeug schenken (eine Reisetasche) schenken.
b) Ihm kann man einen Fußball (ein Kochbuch, eine Kamera) schenken. Denn er spielt Fußball (kocht gern, ist Hobby-Fotograf). Er spielt Fußball (kocht gern, ist Hobby-Fotograf). Deshalb kann man ihm einen Fußball (ein Kochbuch, eine Kamera) schenken.
c) Ihr kann man Briefpapier (Skier, ein Wörterbuch) schenken. Denn sie schreibt gern Briefe (fährt Ski, lernt Spanisch). Sie schreibt gern Briefe (fährt Ski, lernt Spanisch). Deshalb kann man ihr Briefpapier (Skier, ein Wörterbuch) schenken.

3. b) ihr – eine Reisetasche   **c)** ihnen – einen Fernseher   **d)** ihr – einen Fotoapparat   **e)** mir – ein Kochbuch
f) euch – ein Autoradio   **g)** dir – ein Fahrrad   **h)** uns – Blumen   **i)** ihnen – einen Fußball   **j)** Ihnen – eine Lampe

4.

	Singular			Plural		
Nominativ wer,	ich	du Sie	er (Carlo) sie (Frau May) es	wir	ihr Sie	sie (Herr und Frau Kurz)
Dativ wem?	mir	dir Ihnen	ihm ihr ihm	uns	euch Ihnen	ihnen

5. □ . . . mir . . . zeigen? ○ . . . Ihnen . . . empfehlen. □ . . . gefällt mir . . . ○ . . . gefällt Ihnen . . .? □ . . . ist mir . . . □ . . . mir . . . einpacken?

6. b) Wem schenken wir einen Plattenspieler? (Wem schenkt ihr einen Plattenspieler?)   **c)** Wer hört gern Musik?   **d)** Was kauft er ihm?   **e)** Wen sucht Gina?   **f)** Wann hat Yussef Geburtstag?   **g)** Wie ist der Film?

7. a) Die Buchhändlerin zeigt ihnen Wörterbücher.   **b)** Die Kassetten bringe ich ihnen morgen mit.   **c)** Erklären Sie mir doch bitte die Maschine.   **d)** Er kauft ihm deshalb eine Kamera.   **e)** Eine Schallplatte kann man ihr schenken.   **f)** Ihm kannst du ein Radio schenken.

	Inversionssignal	Subjekt	Verb	Subjekt	unbetonte Ergänzung	Angabe	obligatorische Ergänzung	Verb
a)		Die Buchhändlerin	zeigt		ihnen		Wörterbücher.	
b)	Die Kassetten		bringe	ich	ihnen	morgen		mit.
c)			Erklären	Sie	mir	doch bitte	die Maschine.	
d)		Er	kauft		ihm	deshalb	eine Kamera.	
e)	Eine Schallplatte		kann	man	ihr			schenken.
f)	Ihm		kannst	du			ein Radio	schenken.

Schlüssel

8.

		Nominativ		Akkusativ	
		indefiniter Artikel + Nomen	Indefinit-pronomen	indefiniter Artikel + Nomen	Indefinit-pronomen
a)	Maskulinum Singular (der)	ein kein Plattenspieler	einer keiner	einen keinen Plattenspieler	einen keinen
b)	Femininum Singular (die)	eine keine Kamera	eine keine	eine keine Kamera	eine keine
c)	Neutrum Singular (das)	ein kein Radio	eins keins	ein kein Radio	eins keins
d)	Plural	— keine Kassetten	welche keine	— keine Kassetten	welche keine

9. b) ○ . . . eine Orange?   **c)** ○ . . . eine Zigarette?   **d)** ○ . . . Kartoffeln?   **e)** ○ . . . ein Ei?
   □ . . . keine . . .   □ . . . keine . . .   □ . . . keine . . .   □ . . . keins . . .
   □ . . . keiner . . .   □ . . . keine . . .   □ . . . keine . . .   □ . . . keins . . .
f) ○ . . . eine Gurke?   **g)** ○ . . . Pommes frites?   **h)** ○ . . . ein Brötchen?   **i)** ○ . . . ein Kotelett?
   □ . . . keine . . .   □ . . . keine . . .   □ . . . keins . . .   □ . . . keins . . .
   □ . . . keine . . .   □ . . . keine . . .   □ . . . keins . . .   □ . . . keins . . .

10. a) A   **b)** B   **c)** B   **d)** C   **e)** C   **f)** A

11. b) ○ . . . den Tisch . . .!   **c)** ○ . . . das Radio . . .!   **d)** ○ . . . die Teller . . .!   **e)** ○ . . . die Couch . . .!
   □ Der . . . ihn . . .   □ Das . . . es . . .   □ Die . . . sie . . .   □ Die . . . sie . . .
f) ○ . . . die Stühle . . .!   **g)** ○ . . . das Bett . . .!   **h)** ○ . . . den Schrank . . .! **i)** ○ . . . den Teppich . . .!
   □ Die . . . sie . . .   □ Das . . . es . . .   □ Der . . . ihn . . .   □ Der . . . ihn . . .
   ! d) und f) = Plural: Die gefallen mir ja, aber ich finde sie zu teuer.

12.

A	B	C	D	E	F	G	H	I	J
7	10, 5	8	9	2	1	6	5	4	3, 5

13. a) C   **b)** B   **c)** A   **d)** C   **e)** A   **f)** B
14. a) A   **b)** B   **c)** C   **d)** A   **e)** A   **f)** C
15. ○ Hallo Karin.
   □ Tag Gerd, was machst du denn hier?
   ○ Ich suche ein Geschenk für Eva.
   □ Weißt du schon etwas?
   ○ Nein, ich habe keine Idee.
   □ Wie findest du eine Platte von Haydn oder Mozart?
   ○ Sie mag doch keine klassische Musik.
   □ Liest sie gern?
   ○ Ich glaube ja.
   □ Dann kauf ihr doch ein Buch.
   ○ Die Idee ist nicht schlecht.
16. . . . schenken . . . geht . . . sucht . . . Idee . . . Toaster, Töpfe und Mixer . . . trifft . . . hat . . . möchte . . . gut
   (toll, prima . . .) . . . geht . . . zeigt ihm . . . kostet . . . ist . . . Individuelle Lösung
17. Individuelle Lösung

Schlüssel

1. **a)** vor dem Radio **b)** hinter dem Schrank **c)** hinter der Vase **d)** zwischen den Büchern **e)** neben der Schreibmaschine **f)** im (auf dem) Bett **g)** auf dem Schrank **h)** unter der Zeitung **i)** auf der Nase

2. **b)** Kasper (der Hund) **c)** Familie Reiter **d)** Familie Hansen **e)** Emmily (die Katze) **f)** Familie Berger **g)** Familie Müller **h)** Familie Schmidt **i)** Familie Schulz

3. **Freizeit:** Spielbank, Diskothek, Restaurant, Café, Nachtclub, Park, Bar, . . . **öffentliche Gebäude:** Kirche, Krankenhaus, Bahnhof, Rathaus, Flughafen, Arbeitsamt, Bücherei, Fernsehturm, Brücke, Tunnel, Congress-Zentrum, . . . **Kultur:** Theater, Kunstgalerie, Bücherei, Kunsthalle, Denkmal, Kino, Konzerthalle, . . . **Sport:** Schwimmhalle, Stadion, Sportplatz, Fußballplatz, Schwimmbad, Sportzentrum, . . .

4. **b)** Diskothek **c)** Straße **d)** Hauptbahnhof **e)** Theater **f)** Spielbank **g)** Auto **h)** Kanal **i)** Parkplatz (Bahn) **j)** Flugzeug (Auto)

5. **b)** Tennis spielen **c)** Hafen **d)** Bücher ausleihen/lesen **e)** segeln **f)** Film **g)** (mit dem Schiff) fahren **h)** Fußball spielen **i)** fliegen

6. Neben der Toilette ist eine Milchflasche. Unter dem Tisch liegt ein Kugelschreiber. Auf dem Stuhl liegt ein Brot. Auf der Vase liegt ein Buch. Auf dem Schrank liegt Käse. Im Waschbecken liegen Schallplatten. Im (auf dem) Bett liegt ein Aschenbecher. In der Dusche sind Weingläser. Unter dem Bett liegt ein Feuerzeug. Vor dem Kühlschrank liegt eine Kamera. Unter dem Stuhl sind Zigaretten. Hinter dem Schrank ist ein Bild. Vor der Tür liegen Kassetten. Auf der Couch liegt ein Teller. Auf dem Regal steht eine Flasche.

7. **a)** auf den Tisch, **b)** neben die Couch, **c)** vor die Couch, **d)** hinter den Sessel, **e)** neben den Schrank, **f)** zwischen den Sessel und die Couch, **g)** neben das Waschbecken

8. **c)** Neben dem, ein **d)** Das, neben einem **e)** Das, an der **f)** Zwischen der, dem, ein **g)** Neben dem, das **h)** Die, in der, neben dem **i)** Das, am **j)** Der, zwischen dem, einem

9. **a)** über die, zum, am, an einem, zur, an einer, zur, neben dem **b)** ○ zur □ über die, an der, an der, zu einer, an der, in die, zum, Hinter dem

10.
Am besten . . .	Am besten gehen Sie . . .	Am besten . . .	Am besten gehen Sie . . .
b) im Stadtpark	**b)** in den Stadtpark	**j)** in der Metzgerei Eber (Koch)	**j)** in die Metzgerei Eber (Koch)
c) im Markt-Café im Parkcafé	**c)** ins Markt-Café ins Parkcafé	**k)** auf der Post	**k)** auf die Post
d) im Nachtclub Europa (Bel Ami)	**d)** in den Nachtclub E. (Bel Ami)	**l)** in der Diskothek Lyra	**l)** in die Diskothek Lyra
e) in der Tourist-Information/im Hotel	**e)** in die Tourist-Information/ins Hotel	**m)** in der Sprachschule Berger	**m)** in die Sprachschule Berger
f) in der Stadtbücherei	**f)** in die Stadtbücherei	**n)** im Schwimmbad in der Schwimmhalle	**n)** ins Schwimmbad in die Schwimmhalle
g) auf dem Jahn Sportplatz	**g)** auf den Jahn Sportplatz	**o)** in der Tourist-Information	**o)** in die Tourist-Information
h) im Schloßrestaurant im Restaurant Adler	**h)** ins Schloßrestaurant ins Restaurant Adler	**p)** auf dem Tennisplatz Rot-Weiß	**p)** auf dem Tennisplatz Rot-Weiß
i) im Supermarkt Jäger	**i)** in den Supermarkt Jäger		

11. **b)** ○ . . . nach Berlin? □ . . . mit dem Zug. **c)** ○ . . . zu den Landungsbrücken? □ . . . mit der U-Bahn. **d)** ○ . . . zum Rathaus? □ . . . mit dem Taxi.
e) ○ . . . zum Alsterpark? □ . . . mit dem Schiff. **f)** ○ . . . nach Hamburg-Altona? □ . . . mit der S-Bahn. **g)** ○ . . . zur Köhlbrandbrücke? □ . . . mit dem Bus.

12.
a) mit der U-Bahn mit dem Schiff mit dem Bus	**b)** mit der Gabel mit den Fingern mit dem Löffel	**c)** mit dem Kugelschreiber mit der Schreibmaschine mit dem Bleistift	**d)** mit der Grammatik mit dem Wörterbuch mit „Themen"

13. in, in, nach, in einen, in, in (in den), an der, auf der, in der, ins, ins, nach, an der, im, am, in der, an die, am, nach

Schlüssel

14.

	Inversions-signal	Subjekt	Verb	Subjekt	Angabe	obligatorische Ergänzung	Verb
a)	Wie		komme	ich	am schnellsten	zum Alsterpark?	
b)	Am besten		nehmen	Sie		das Schiff.	
c)			Kann	ich	nicht	mit der U-Bahn	fahren?
d)	Zum Alsterpark		fährt	keine U-Bahn.			

15. a) in einem Büro, in einem Krankenhaus, in einem Café, ... **b)** in einem Restaurant, in einem Hotel, in einer Kantine, in einem Schnellimbiß, zu Hause, ... **c)** in eine Stadt, nach Bochum, in die Schweiz, ans Meer, ... **d)** in den Alpen, in den Dolomiten, auf der Zugspitze, ... **e)** in Hamburg, auf dem Flughafen, auf Gleis 7, ... **f)** nach Zürich, in die Türkei, nach Tokio, ... **g)** in eine Diskothek, in einen Nachtclub, in eine Bar, in ein Tanz-Café, ... **h)** in einem Park, an der Elbe, am Meer, ... **i)** in einer Diskothek, in einer Bar, in einem Nachtclub, ... **j)** auf einem Sportplatz Fußball, in einer Spielbank Roulette, auf einem Tennisplatz Tennis, ... **h)** in einem Café, in einer Bar, an einer Brücke, ... **l)** in einem Supermarkt, in einer Metzgerei, ... **m)** in einem Supermarkt, in eine Metzgerei, ... **n)** in der Kantstraße, in Rom, an der Ostsee, im Gebirge, ... **o)** in eine Schwimmhalle, in ein Schwimmbad, ... **p)** auf einem Tisch, an der Alster, in Österreich, ... **q)** in Kiel, in die U-Bahn, auf Gleis 3, am Hauptbahnhof, ... **r)** in ein Kino, an den Rhein, in eine Bar, in eine Bücherei, ... **s)** in einer Schwimmhalle, in einem Schwimmbad, in der Ostsee, ... **t)** auf Korsika, im Gebirge, am Mittelmeer, in Schweden, ...

16. b) im **c)** auf dem **d)** im **e)** auf der **f)** auf der Post **g)** im **h)** in der **i)** im **j)** auf dem

17.

A	B	C	D	E	F	G	H	I	J	K
2, 5	4, 7	1	8	4, 6	10	9	11	2	3	6

18. a) B **b)** C **c)** C **d)** A **e)** A **f)** B

19. Individuelle Lösung

9

1. b) die Hand **c)** der Finger **d)** die Nase **e)** der Mund **f)** die Zähne **g)** der Bauch **h)** das Bein **i)** der Arm **j)** der Hals (Reihenfolge beliebig)

2. b) Zahn **c)** Kopf **d)** Ohr **e)** Busen **f)** Hand

3.

	Ich habe ...	Mein(e) ...	Ich habe Schmerzen ...
Kopf	Kopfschmerzen	Kopf tut weh	–
Bein	–	Bein tut weh	im Bein
Nase	–	Nase tut weh	in der Nase
Ohren	Ohrenschmerzen	Ohr tut weh/Ohren tun weh	–
Rücken	Rückenschmerzen	Rücken tut weh	im Rücken
Zähne	Zahnschmerzen	–	–
Fuß	–	Fuß tut weh/Füße tun weh	im Fuß
Auge	Augenschmerzen	Auge tut weh/Augen tun weh	im Auge
Knie	–	Knie tut weh/Knie tun weh	im Knie
Bauch	Bauchschmerzen	Bauch tut weh	im Bauch
Hand	–	Hand tut weh/Hände tun weh	in der Hand
Schulter	–	Schulter tut weh/Schultern tun weh	in der Schulter

4. a) ○ Hast du meine Kamera?   ○ Wo ist meine Kamera?
    □ Nein, die ist auf deinem Sessel.   □ Die ist auf Ihrem Sessel.
b) ○ Hast du meine Kassetten?   ○ Wo sind meine Kassetten?
    □ Nein, die sind auf deinem Radio. □ Die sind auf Ihrem Radio.

Schlüssel

c) ○ Hast du meinen Kugelschreiber?   ○ Wo ist mein Kugelschreiber?
     □ Nein, der ist auf deiner Zeitung.   □ Der ist auf Ihrer Zeitung.

5.

		a	b	c	d	e	f	g	h	i	j	k	l	m	n	o	p	q	r	s	t	u	v
A	ich	X								X											X		
B	du								X														X
C	Sie				X				X		X												
D	er (Uwe) es, man			X												X							
E	sie (Maria)					X		X		X						X							
F	wir					X			X		X											X	
G	ihr			X			X					X		X									
H	sie							X		X						X							
I	Sie				X				X		X												

6. Individuelle Lösung

7. Bauchschmerzen, Rückenschmerzen, Kopfschmerzen, Ohrenschmerzen, Zahnschmerzen, erkältet, nervös, zu dick, Grippe, Durchfall, Fieber, Allergie, Verstopfung, Herzbeschwerden, . . .

8. b) Er darf keinen Zucker essen. Er muß Salat und Gemüse essen. Er darf keinen Kuchen essen. **c)** Er darf keine Schokolade essen. Er muß Tabletten nehmen. Er muß Joghurt essen. **d)** Er darf nicht viel rauchen. Er muß spazierengehen. Er darf keinen Alkohol trinken. **e)** Er muß Tee trinken. Er darf keinen Wein trinken. Er darf nicht fett essen. **f)** Er muß Sport treiben. Er darf abends nicht spät essen. Er darf abends keinen Kaffee trinken. **g)** Er darf nicht viel arbeiten. Er muß zum Arzt gehen. Er muß weniger arbeiten.

9. b) müssen **c)** dürfen **d)** müssen **e)** dürfen **f)** dürfen **g)** müssen **h)** dürfen **i)–o)** soll

10. b) darf (kann) **c)** kann **d)** soll **e)** darf **f)** muß **g)** darf **h)** kann **i)** darf **j)** darf (kann) **k)** muß **l)** soll **m)** kann **n)** soll **o)** kann **p)** dürfen **q)** muß **r)** darf

11. a) . . . soll . . . will/möchte . . . möchte . . . darf . . . **b)** . . . soll . . . will/möchte . . . soll . . . kann . . . soll . . . möchte/will . . . **c)** . . . kann . . . soll . . . muß . . . will/möchte . . . kann . . . **d)** . . . will/möchte . . . will/möchte . . . soll . . will/kann/möchte . . .

12.

	mögen	dürfen	müssen	sollen	wollen	können
ich	möchte	darf	muß	soll	will	kann
du	möchtest	darfst	mußt	sollst	willst	kannst
Sie	möchten	dürfen	müssen	sollen	wollen	können
er, sie, es	möchte	darf	muß	soll	will	kann
wir	möchten	dürfen	müssen	sollen	wollen	können
ihr	möchtet	dürft	müßt	sollt	wollt	könnt
sie	möchten	dürfen	müssen	sollen	wollen	können

13.

A	B	C	D	E	F	G	H	I	J
7, 2	1, 9	2, 10	2, 10	8	4	3	6	5	9

14. a) A/C **b)** B/C **c)** A/C **d)** A **e)** A **f)** A/B **g)** B/C **h)** A/B **i)** A/B **j)** B/C

15. Individuelle Lösung

16. a) helfen, fallen, arbeiten, trinken, aufräumen, frühstücken, mitnehmen, aufstehen, umsteigen, zeigen, nehmen, warten, mitbringen, bleiben, sehen, kommen, brauchen, essen, fliegen, anfangen, sprechen, gehen, lernen, einkaufen, machen, einladen, rauchen, schenken, schlafen, schreiben, lesen
b) ge-t: gearbeitet, gefrühstückt, gezeigt, gewartet, mitgebracht, gebraucht, gelernt, eingekauft, gemacht, geraucht, geschenkt

Schlüssel

ge-en: gefallen, getrunken, mitgenommen, aufgestanden, genommen, geblieben, gesehen, gekommen, gegessen, geflogen, angefangen, gesprochen, gegangen, eingeladen, geschlafen, geschrieben, gelesen

17.

	Inversions-signal	Subjekt	Verb	Subjekt	Angabe	obligatorische Ergänzung	Verb
a)		Ich	habe		gestern	Fußball	gespielt.
b)	Wie		ist	das	denn		passiert?
c)			Darfst	du		keinen Kaffee	trinken?
d)		Du	mußt		unbedingt		mitspielen.
e)	Gestern		hat	sie	nicht		mitgespielt.
f)			Hat	das Bein	sehr	weh	getan?
g)		Die Wohnung	habe	ich	noch nicht		aufgeräumt.
h)	Plötzlich	bin	ich			gefallen.	

18. ...sind...haben...hat...sind...haben...sind...haben...sind...haben...haben...haben...sind ...sind...sind...habe...haben...haben...bist...

19. **b)** Um 9.30 Uhr hat sie gefrühstückt. **c)** Sie hat (ein Buch) gelesen. **d)** Sie hat (Dann hat sie) Tennis gespielt. **e)** Sie hat Radio (Musik) gehört. **f)** Um 13.00 Uhr hat sie Mittag gegessen. **g)** Von 15.00 bis 16.00 Uhr hat sie geschlafen. **h)** Dann ist (hat) sie geschwommen. (Dann ist sie schwimmen gegangen. Dann ist sie ins Schwimmbad gegangen). **i)** Um 17.00 Uhr hat sie Kaffee getrunken. **j)** Sie hat (dann) ferngesehen. **k)** Um 18.00 Uhr hat sie Abendbrot gegessen. **l)** Abends hat sie getanzt.

10

1. a) den Krieg, die Wahl, ... **b)** einen Freund, die Staatsbürgerschaft, ein Buch, Freunde, ... **c)** das Studium, die Arbeit, den Krieg, ... **d)** das Abitur, die Arbeit, das Examen, Jazz-Musik, eine Reise, Abendessen, ... **e)** Arbeit, die Staatsbürgerschaft, ein Kind, ein Buch, den Nobelpreis, ein Hotelzimmer, ... **f)** bei Siemens, in Japan, in Hannover, in Stuttgart, Soldat, Mechaniker, Mitglied, Deutscher, ... **g)** Soldat, Mechaniker, Mitglied, Deutscher, ... **h)** ein Buch, ein Haus, Arbeit, Freunde, einen Freund, ein Hotelzimmer, das Kino, ... **i)** schwimmen, zum Gymnasium, zur Schule, auf die Universität, nach Hamburg, nach Athen, ... **j)** Deutsch, Englisch, schwimmen, für die Schule, ... **k)** ein Haus, ... **l)** in Stuttgart, in Japan, in Hannover, bei Siemens, für die Schule, ... **m)** in Japan, in Stuttgart, in Hannover, ... **n)** Englisch, Deutsch, ... **o)** nach Hamburg, nach Athen, zur Schule, zum Gymnasium, ... **p)** ein Buch, Deutsch, Englisch, ... **q)** Klaus, Marianne, Freunde, einen Freund, ein Kind, ... **r)** Klaus, Marianne, in Stuttgart, in Hannover, in Japan, ...

2.

Anton Weigl	/////////	Mann von	Vater von	Vater von	Vater von
Martha Weigl	Frau von	/////////	Mutter von	Mutter von	Mutter von
Sebastian Weigl	Sohn von	Sohn von	/////////	Bruder von	Bruder von
Ute Weigl	Tochter von	Tochter von	Schwester von	/////////	Schwester von
Helga Weigl	Tochter von	Tochter von	Schwester von	Schwester von	/////////

Anton Weigl ist der Mann von Martha Weigl. Er ist der Vater von Sebastian, Ute und Helga Weigl. Martha Weigl ist die Frau von Anton Weigl und die Mutter von Sebastian, Ute und Helga Weigl. Sebastian ist der Sohn von Anton und Martha Weigl und der Bruder von Ute und Helga Weigl. Ute Weigl ist die Tochter von Anton und Martha Weigl und die Schwester von Sebastian und Helga Weigl. Helga Weigl ist die Tochter von Anton und Martha Weigl und die Schwester von Sebastian und Ute Weigl. (Sebastian, Ute und Helga sind die Kinder von Anton und Martha Weigl. Anton und Martha Weigl sind die Eltern von Sebastian, Ute und Helga.)

3. b) siebzehnhundertneunundfünfzig, **c)** siebzehnhundertsiebenundneunzig, **d)** achtzehnhundertachtzehn, **e)** siebzehnhundertvierundzwanzig, **f)** achtzehnhundertfünfzehn, **g)** achtzehnhundertneunundsiebzig, **h)** neunzehnhundertsiebenundzwanzig, **i)** siebenhundertvier, **j)** achtzehnhundertfünfundsiebzig

4. □ ... habe ... gefunden (gesucht) ... hast ... gewechselt?
   ○ ... habe ... gemacht ... habe ... gekauft ... aufgeräumt ... hast ... gemacht?
   □ ... war ... habe ... gebracht ... bin ... gegangen ... habe ... gekauft ... Hast ... gesprochen?
   ○ ... habe ... gebracht. Hast ... geholt?
   □ ... war ...
   ○ ... habe ... vergessen ...

5.

	Inversions-signal	Subjekt	Verb	Subjekt	Angabe	obligatorische Ergänzung	Verb
a)	Was		hast	du	am Wochenende		gemacht?
b)		Wir	haben		1983	ein Kind	bekommen.
c)	1982		ist	Italien		Weltmeister	geworden.
d)	In Irland		bin	ich	noch nicht		gewesen.
e)	Gestern		war	Bernd		im Kino.	
f)	Das		habe	ich	leider		vergessen.

6. **b)** Da **c)** Da **d)** Das **e)** Deshalb **f)** Das **g)** Das **h)** Deshalb **i)** Da/Das **j)** Das

7. **b)** Denn er hat immer Kopfschmerzen. Er hat nämlich immer Kopfschmerzen. **c)** Denn er hat Magen-schmerzen. Er hat nämlich Magenschmerzen. **d)** Denn der Film ist langweilig. Der Film ist nämlich langweilig. **e)** Denn ich hatte viel Arbeit. Ich hatte nämlich viel Arbeit. **f)** Denn sie ist schon verabredet. Sie ist nämlich schon verabredet. **g)** Denn er hat schwimmen gelernt. Er hat nämlich schwimmen gelernt.

8. **b)** ... hat ... gemacht. **c)** ... ist ... gestorben. **d)** ... hat ... gelebt. **e)** ... sind ... geflogen. **f)** ... hat ... geheiratet. **g)** ... hat ... studiert. **h)** ... hat ... geliebt. **i)** ... hat ... gehabt. **j)** ... ist ... gesegelt. (gefahren) **k)** ... hat ... gespielt. **l)** ... ist ... gefahren. (gesegelt) **m)** ... hat ... gemacht. **n)** ... ist ... geworden. **o)** ... hat ... gewonnen. **p)** ... hat ... bekommen. **g)** ... ist ... geschwommen. **r)** ... hat ... getroffen. **s)** ... hat ... gearbeitet.

9. **a)** A/B **b)** B/C **c)** A **d)** B/C **e)** A/B **f)** B/C

10. Individuelle Lösung

Quellennachweis der Texte, Illustrationen und Fotos

Seite 9: Foto ‚Romy Schneider‘, ‚Sigmund und Anna Freud‘: Keystone Pressedienst, Hamburg. – Foto ‚Günter Grass‘: Moenke-bild, Hamburg / Bilderdienst Süddeutscher Verlag, München. – Foto ‚Anna Seghers‘: Peter Probst / Bilderdienst Süddeutscher Verlag, München. – Foto ‚Herbert von Karajan‘: Bilderdienst Süddeutscher Verlag, München. – Foto ‚Max Frisch‘: Bild + News, Zürich / Bilderdienst Süddeutscher Verlag, München.

Seite 11: Who is Who? Aus: Robert Gernhard: Gernhards Erzählungen. Haffmans Verlag, Zürich 1983.

Seite 20/21: Ohne Namen. Aus: Helmut Müller: Deutsch phantastisch (unveröffentlichtes Manuskript) – Silben zum Kauen und Lutschen. Aus: Hans-Joachim Gelberg (Hrsg.): Geh und spiel mit dem Riesen. Beltz Verlag, Weinheim und Basel 1972. – Konjugation. Aus: Rudolf Otto Wimmer (Hrsg.): Bundesdeutsch, Lyrik zur Sache Grammatik. – nicht wissen. Aus: text und kritik, Heft 25, Konkrete Poesie I. edition text und kritik, München.

Seite 29: Komische Adressen. Nach: Jürgen Kurth: Die verrückten Adressen. Aus: Stern 9/1983. – Fotos: Antrazit / Wolfgang Staiger, Essen.

Seite 30/31: Foto ‚Mädchen auf Sofa‘: Leonore Ander, München – Fotos: ‚Möbel‘: IKEA Deutschland GmbH, Hofheim.

Seite 39: Müsli ist gesund. Nach: Mein Müsli macht mich morgens munter. Aus: Jugend Scala Dez. 82/Jan. 83. – Fotos: Angelika Fertsch-Rörer, Frankfurt/M. – Foto: ‚Frau im Café‘: Wolfgang Isser, Ismaning.

Seite 40: Leben. Aus: Stefan Suhlke: Kekse. Arena Verlag, Würzburg. – boycott à la carte. Aus: Tintenfisch 4. Rotbuch Verlag, Berlin. – Liedchen aus alter Zeit. Aus: Bertolt Brecht: Gesammelte Werke. Suhrkamp Verlag, Frankfurt/M. 1967. – Kindergedicht. Aus: Hans Joachim Gelberg (Hrsg.): Geh und spiel mit dem Riesen, 1. Jahrbuch der Kinderliteratur. Beltz Verlag, Weinheim und Basel 1971.

Seite 43: Weltzeitkarte. Otto Meier Verlag, Ravensburg 1975.

Seite 51: Freizeitspiel. Nach: Reinhard Schober: Freizeitspiel. Aus: Junge Zeit 2/1983.

Seite 52: Zeichnung. Marie Marcks. Aus: Marie Marcks: Roll doch das Ding, Blödmann! Frauenbuch Verlag. München 1981. – Ein Arbeitsplatz für zwei. Nach: Regine Fischbeck: Ein Arbeitsplatz für zwei – wer hat mehr davon. Aus: Brigitte 24/1981. – Foto: Wolfgang Isser, Ismaning.

Seite 53: Mutter muß arbeiten. Nach: Jella Lepmann: Kinder sehen unsere Welt. Ullstein Verlag, Berlin, Frankfurt/M. 1971.

Seite 63: Pechvögel, Nörgler.... Nach: Wolfgang Ebert: Von Pechvögeln, Schürzenjägern und Panikmachern. Aus: Zeit 50/1981. – Zeichnungen: Joachim Schuster, Baldham.

Seite 72: Dem „kleinen Kaufmann“ geht es schlecht. Nach: Thomas Münster: Der kleine Kaufmann zieht den kürzeren. Süddeutsche Zeitung 41/1983. – Foto: Karl-Heinz Egginger, München. – Statistik. Globus Kartendienst, Hamburg.

Seite 73/74: Reine Verhandlungssache. Erich Rauschenbach. Aus: S – wie Schule Dez./1982. – Foto: Wolfgang Isser, Ismaning. – Statistik. Aus: McCann Jugendstudie 1976.

Seite 85: Sauerlach muß ein Dorf bleiben, Nach: Wir wollen ein Dorf bleiben. Aus: mosaik, Magazin der Bausparkasse Schwäbisch 2/1983.

Seite 86: Nach: Szene Hamburg. Szene Verlag Klaus Heidorn, Hamburg 1982. – Foto: ‚Onkel Pö‘, ‚Fabrik‘: Sebastian Kusenberg / Szene Verlag, Hamburg. – Foto: ‚Fischdelikatessen‘: Hartmut Greyer, Hamburg.

Seite 97: Hägar. Bulls Pressedienst, Frankfurt/Main. – Foto: Wolfgang Isser, Ismaning.

Seite 98/99: Nach: Inga Thomsen: Gold im Mund – Zahnarzt gesund. Stern 1/1982. – Foto: S. 98: © STERN / Iver Hansen. – Fotos S. 99: © STERN / Thomann. – fünfter sein. Aus: Ernst Jandl: Der künstliche Baum. © 1970 Hermann Luchterhand Verlag, Darmstadt und Neuwied.

Seite 106: Der Führer befiehlt. Stiftung Preußischer Kulturbesitz.– Plakat ‚Deutscher . . .‘ Aus: Mary Tucholsky, Friedrich Lambart (Hrsg.): Kurt Tucholsky und Deutschlands Marsch ins Dritte Reich. Verlag und Druckerei Hentrich. Berlin o.J. – Fotos ‚Sophie Scholl‘, ‚Hans Scholl‘: Inge Aicher-Scholl, Rotis.

Seite 107: Ganz Deutschland.... Aus Mary Tucholsky, Friedrich Lambart (Hrsg.): Kurt Tucholsky und Deutschlands Marsch in Dritte Reich. Verlag und Druckerei Hentrich, Berlin o.J.

Seite 108: manche meinen. Aus: Ernst Jandl: Laut und Luise. © 1971 Ernst Jandl. – vater komm erzähl vom krieg. Aus: Ernst Jandl: Dingfest. © 1973 Hermann Luchterhand Verlag, Darmstadt und Neuwied. – unbestimmte Zahlwörter. Aus: Rudolf Otto Wiemer: Beispiele der deutschen Grammatik. Gedichte. Wolfgang Fietkau Verlag, Berlin. – Plakate. Aus: Anschläge. Politische Plakate in Deutschland 1900–1970. Arnold (Hrsg.). Langewiesche-Brandt, Ebenhausen.